Irma Krauß • Herzhämmern

DIE AUTORIN

Irma Krauß, geboren 1949 im schwäbischen Unterthürheim, studierte in Augsburg Pädagogik und arbeitete danach sieben Jahre als Lehrerin. 1990 veröffentlichte sie ihr erstes Buch für Erwachsene; darauf folgten zahlreiche Kinder- und Jugendbücher, die zum Teil ausgezeichnet und in mehrere Sprachen übersetzt wurden. Irma Krauß lebt heute als freischaffende Autorin in der Nähe von Augsburg. 1998 erhielt sie den Peter-Härtling-Preis für Kinder- und Jugendliteratur. Mehr Informationen zur Autorin unter www.irma-krauss.de

Weitere lieferbare Titel von Irma Krauß:
cbj:
Das Wolkenzimmer (13271)
cbt:
Kick ins Leben (30299)
omnibus:
Wir sind die Klasse 1 (27074)

Irma Krauß

Herzhämmern

cbt – C. Bertelsmann Taschenbuch
Der Taschenbuchverlag für Jugendliche
Verlagsgruppe Random House

FSC
Mix
Produktgruppe aus vorbildlich
bewirtschafteten Wäldern und
anderen kontrollierten Herkünften

Zert.-Nr. SGS-COC-1940
www.fsc.org
© 1996 Forest Stewardship Council

Verlagsgruppe Random House FSC-DEU-0100
Das für dieses Buch verwendete FSC-zertifizierte
Papier *Munken Print* liefert
Arctic Paper Munkedals AB, Schweden.

1. Auflage
Erstmals als cbt Taschenbuch August 2007
Gesetzt nach den Regeln der
Rechtschreibreform
Von der Autorin überarbeitete Fassung des
Jugendbuchs »Panik oder was«, erstmals er-
schienen 1996 im Patmos Verlag, Düsseldorf
© 2007 cbt/cbj Verlag, München
in der Verlagsgruppe Random House GmbH
Alle Rechte vorbehalten
Umschlaggestaltung: Doris K. Künster
MI · Herstellung: CZ
Satz: KompetenzCenter, Mönchengladbach
Druck und Bindung: GGP Media GmbH,
Pößneck
ISBN: 978-3-570-30366-5
Printed in Germany

www.cbj-verlag.de

1

Martina Schlotterbein, vierzehn Jahre, das bin ich. Zwei Teile davon sind amtlich: der Vorname und das Alter.

Ich stapfe zornig durch knöcheltiefes Laub. Meine Arme rudern, meine Füße wühlen sich bergan, die trockenen Blätter knistern und krachen, ein Eichenschößling legt sich unter meinen Turnschuh und steht wieder auf.

Ich hasse den dritten Teil. Schlotterbein ist nicht mein Nachname, sondern meine verfluchte Eigenschaft.

»Schlü…« Das Rascheln der braunen Blätter übertönt meine Stimme. »Schlüter!«, schreie ich meinen Namen.

Zornig sein ohne Zeugen hat eigentlich wenig Sinn. Aber manchmal kann man nicht anders.

Kevin Radek hat es gesagt und die anderen haben es nachgeäfft. Kevin Radek ist mein blöder Cousin. Ich mache nicht seinetwegen das Wochenende hier mit, der Himmel bewahre mich vor einer solchen Anwandlung. Nein, ich bin mitgekommen, weil auf dem Einladungszettel stand: *In die Fränkische Schweiz*. In der Fränkischen Schweiz hat Martin, mein Vater, ein Praktikum gemacht, im zweiten Semester, die Unterlagen sind in meiner Klappbox.

Der Zettel für den Wochenendausflug ging durch alle Klassen, es war das Angebot einer kirchlichen Jugendorganisation der Stadt. Sehr preiswert. Aber kaum jemand interessierte sich dafür. Was? Drei Tage ins Grüne?, hieß es. Was sollen wir denn da?

»Ich steh doch nicht auf Grün«, hörte ich Vanessa witzeln, »ich steh auf Bunt, Neonbunt!« Sie brauchte nicht auszuführen, dass sie dabei an die Scheinwerfer in unserer Disco dachte, wo man jeden Samstagabend Mädchen aus meiner Klasse antrifft. Ich war bisher dreimal dort; von den Jungen habe ich keinen gesehen; was sie so machen, weiß ich eigentlich nicht, und es interessiert mich auch nicht. Es reicht mir schon, dass mein blöder Cousin zu ihnen gehört.

Jetzt habe ich wieder eine kleine Eiche umgetreten. Sie ist zum Glück noch biegsam, ein einjähriger Schößling, sie wird sich erholen. Ich schaue in die Baumkronen hinauf – wo steht eigentlich die Eiche, die hier so verschwenderisch streut? Das Laub, in dem meine Füße stecken, ist bunt gemischt, aber beim Blick nach oben sollte ich sie sofort entdecken, denn ihre Blätter dürften gegen die Nachmittagssonne in sattem Braungelb leuchten: Oktoberfarbe. Und da habe ich sie auch schon. Es ist nicht eine, sondern es sind drei, nein vier Eichen, die ich zwischen luftigen Birken, Erlen und Buchen ausmachen kann. Ich folge den Stämmen nach unten und sehe nun auch an der Rinde, dass ich mich nicht geirrt habe.

Das ist meine Spezialität. Ich habe es aufgegeben, mit Leuten aus meiner Klasse darüber reden zu wollen.

Um mir dann anzuhören: Na und? Ein Baum! Was soll das? Ein Baum ist ein Baum; wozu muss ich wissen, wie der heißt? Der einzige Baum, den sie zur Not kennen, ist die Birke. Aber auch nur, wenn ihr Stamm weiß ist. Immer ist er das eben nicht. Und alle Nadelbäume sind für sie Tannen. Tannen! Man stelle sich das einmal vor. Selbst einen Apfelbaum erkennen sie nur, wenn Äpfel daran hängen.

Und dann gibt es noch welche, die machen sich größte Sorgen um die Bäume. Sie sehen im Vorüberfahren jede dürre Spitze und jaulen was von Waldsterben und dass wir die Welt, in der wir leben, kaputt machen. Aber sie können keine Weide von einer Pappel unterscheiden. Und da sie nur auf dürre Spitzen achten, entgeht ihnen alles, aber auch alles. Sogar dieses wahnsinnige Herbstbunt der bewaldeten Hügel, naturbunt, nicht neonbunt, rotbraungelbgrün und alle Farben dazwischen.

An einer dicken Buche bleibe ich stehen. Ich umarme den glatten Stamm und lege das Gesicht an die kühle Rinde. Ich fühle, wie der Baum atmet und lebt. Schwer ist er und hart und riesig. Neben ihm bin ich ein Würstchen. Aber ich bin ja sowieso ein Würstchen. Seit heute bin ich Martina Schlotterbein.

Dem Kevin leg ich mal Reißnägel ins Bett. Dem Arsch.

Kevin und die anderen sind nur mitgekommen, weil auf dem Zettel noch stand: *Ausflug in die Teufelshöhle.* Teufelshöhle, das klang ihnen nach was.

Mir auch. Aber ich war noch nie in einer Höhle gewesen. Ich wusste nicht, dass es dort eng sein kann. Vor allem wenn sich so viele Leute hineinquetschen. Ich wusste es theoretisch, aber ich hatte es noch nicht erlebt. Dass eine komische Luft drin ist, dumpf, feucht und eiskalt. Und dass es, wenn man sich die Lampen wegdenkt, dunkel ist, absolut und rabenschwarz dunkel.

Ich dachte mir die Lampen weg. Und da passierte es, ich kriegte das Zittern. Ich machte die Beine stocksteif, weil ich glaubte, dann hört es auf. Aber als ich die Knie fest durchdrückte und die Schulter gegen die eisige Höhlenwand presste, wurde das Zittern im Gegenteil so schlimm, dass die anderen es merkten.

»Hey, was ist mit dir los? Was hast du denn?«, fragten die in meiner Nähe.

»Nichts«, sagte ich, wobei meine Zähne aufeinanderschlugen.

»Hast du Schiss?«, wollte jemand wissen. Ein anderer sagte: »Die schlottert ja!« Woraufhin mein niederträchtiger Cousin gemein grinste und mich Martina Schlotterbein nannte.

»Du blöder Arsch!«, zischte ich. »Vielleicht muss ich mal oder ist das zu hoch für dich?«

»Ein Klo für Martina Schlotterbein!«, krähte jemand, den ich nicht einmal sehen konnte. Jetzt interessierten sich auch noch die für mich, die bisher nichts mitgekriegt hatten; es gab Gelächter und Vorschläge.

Von meiner Klasse sind nur drei Jungs mitgekommen und aus der Parallelklasse zwei Mädchen, die auch in der Schule immer zusammenstecken. Alle anderen Jungen und Mädchen sind jünger, ich kenne sie nicht. Es erboste mich maßlos, dass sie es wagten zu lachen. Doch was mich am meisten schaffte, waren die Senioren, die man vor dem Höhleneingang in unsere Gruppe gesteckt hatte: Es machte ihnen überhaupt nichts aus, durch die langen, feuchtkalten Gänge zu laufen, sie bejubelten Stalaktiten und Stalakmiten, sie achteten schön auf ihre Füße und hielten sich am Absperrseil fest, und keinem von ihnen schlotterte etwas.

Nur bei mir trat diese Peinlichkeit auf.

Carsten Siebert, unser Jugendleiter, kämpfte sich zu mir durch und sagte besorgt: »Wir stecken jetzt mittendrin, zurück dauert es vielleicht ebenso lang wie vorwärts, hältst du noch durch?«

»Nein!«, knirschte ich. Meine Knie schlugen aneinander.

»Aber hier drin gibt's doch kein Klo, Martina!«

»Ich will raus, ich muss sofort raus!«, sagte ich.

Carsten unterbrach daraufhin den Redefluss unseres Höhlenführers. Der machte kein langes Theater, sondern nahm mich am Arm. Er brachte mich in einen dunklen, engen Seitengang. Er hatte kaum Zeit zu murmeln: »Du hast einfach nur Höhlenangst, das kommt vor«, da standen wir schon an einer kleinen Holztür. Er richtete seine Taschenlampe auf ein Vorhängeschloss und steckte einen Schlüssel hinein.

Und dann fluteten Tageslicht und warme Luft herein.

»Geh einfach den Pfad lang«, sagte der Mann, »dann

kommst du zum Höhleneingang. Dort wartest du auf deine Gruppe.«

Hinter mir schlug die Tür zu und das Vorhängeschloss polterte gegen Holz.

Im hellen Tageslicht sah ich, wie meine Knie wackelten. Das war heute Mittag.

Der Buchenstamm ist kühl. Doch lange nicht so kalt wie die Höhlenwand. Und nicht so nass, nicht so hart und nicht so kantig. Und nicht so schwarz und tot. Er lebt.

Ich möchte so stehen bleiben, die Arme um den Baum geschlungen. Aber es ist unbequem. Die anderen sind jetzt in der Herberge. Sie gammeln in den Zimmern herum oder machen Spiele oder sind auf dem Abenteuerplatz. Sie haben mich weglaufen sehen. Carsten Siebert hat mir nachgerufen: »Geh nicht zu weit, Martina! Und sei zum Abendbrot zurück!«

»Martina Schlotterbein«, habe ich noch gehört. Das war natürlich nicht Carsten Siebert. Trotzdem regt der Typ mich auf. Denn als gleich nach dem Höhlenbesuch immer mehr Idioten schlotterten und kicherten und prusteten – es war hoch ansteckend –, nahm er mich im Bus an seine Seite. »Hör einfach nicht hin, dann wird's ihnen bald langweilig«, sagte er. Anstatt dass er ihnen die Köpfe zusammengeknallt oder sie mit Reißnägeln gefüttert hätte.

Ich saß neben ihm, hatte heiße Ohren und erzählte die Story von meiner schwachen Blase. Ich weiß nicht, was eine schwache Blase ist. Aber sie hat mir schon oft geholfen.

Immerhin lässt mich Carsten allein weggehen. Gestern Nachmittag hat er es bereits erlaubt, nach unserer Ankunft in der Jugendherberge. Weil ich die Älteste bin und weil ich versprochen habe, beim Blättersammeln in der Nähe zu bleiben. Am Abend hat Carsten sich dann sogar für meine Blätter interessiert. Aber nicht richtig. Bei *paarig gefiedert* und *unpaarig gefiedert* schaltete er schon ab. Ich hatte es nicht anders erwartet.

Martin, mein Vater, wollte Biologe werden. Oder Stuntman. Er ist keines von beiden geworden.

Ich wirble wieder Laub auf, das jetzt spärlicher wird. Der hohe Mischwald endet an einem verwitterten Felsen. So weit bin ich gestern schon gekommen. Ein Pfad führt um den Felsen herum, und da ich keine Lust habe, Kevin und die anderen zu sehen, folge ich ihm. Die Sonne steht tief, sie blendet. Ich wünsche mir, dass sie heute nicht untergeht. Sie soll genau so stehen bleiben und leuchten und wärmen, dann marschiere ich immer weiter. Dann habe ich auch keine Angst. Wo Sonne ist und wo Bäume sind und trockenes Laub, fürchte ich mich nicht.

Auf der Rückseite des Felsens ist eine Wiese und mittendrin steht eine Esche. Sie ist kugelförmig gewachsen und hat Äste bis zum Boden. Ein Kletterbaum. Wenn ich mutig wäre, könnte ich bis in die Spitze klettern. Die Jungs würden es vielleicht tun, aber ich werde mich hüten, ihnen den Baum zu zeigen.

Er hat noch fast kein Laub abgeworfen, weil die Felswand ihn gegen den Wind schützt. Ein richtiger Bilderbuchbaum. So könnte er im Wald niemals wachsen, so breit und rund, er wäre eingeengt und würde nur nach oben streben. Das habe ich nicht aus den Unterlagen meines Vaters, ich habe es durch Hinsehen und Vergleichen gelernt. Die Unterlagen meines Vaters enthalten viel kompliziertere Dinge, von denen ich eigentlich nichts verstehe. Eine Menge Formeln, die ich aber eines Tages begreifen werde, wenn ich Biologie studiere.

Ich zwänge mich durch die tief hängenden Äste hindurch bis zum Stamm und schaue hinauf. Der Baum wird nach oben zu licht und in der Kronenspitze fehlen die Blätter schon ganz. Ich könnte bestimmt ohne Mühe hochsteigen und hätte dann über eine Schonung hinweg einen Blick auf das Tal und vielleicht sogar direkt auf die Herberge. Probeweise setze ich den Fuß in eine Astgabel und ziehe mich hinauf. Es klappt. Und noch eine Astgabel kommt mir gelegen. Eigentlich muss ich mich nur mit den Ellenbogen von Ast zu Ast stemmen, einen Fuß aufsetzen, den anderen nachziehen.

Ein dürrer Zweig kratzt mir übers Gesicht und verfängt sich in meinen Haaren. Ich versuche, mich zu befreien und mir dabei möglichst keine Haare auszureißen. Da fällt mein Blick zufällig nach unten und – der Boden ist weg, er ist auch mit gestreckten Beinen niemals mehr zu erreichen. Mir wird schwindlig. Jetzt entfernt sich der Boden weiter, obwohl ich mich nur noch festklammere. Es ist wie in der Beschleunigungstrommel auf dem Rummelplatz, wo ich mit meiner

Mutter in den Sommerferien war. Ich reiße die Augen auf und folge dem Boden, ich umklammere jeden Ast, der mir entgegenkommt; auf die Beine ist wieder einmal kein Verlass, sie schlottern. Sie schlottern sich hinab, bis sie unter dem Baum einknicken.

Mühsam richte ich mich auf, dann lehne ich schwer atmend am Stamm. Der Kopf tut mir weh, ich fasse hin. Der dürre Zweig ist verschwunden, bestimmt hat er mir einen Schwung Haare ausgerissen. Sie hängen jetzt oben, ein rotes Büschel, weil ich wieder einmal die Panik gekriegt habe. Ich bin nicht normal, so viel steht fest, und Kevin hat mir treffsicher den richtigen Namen verpasst. Zornig drücke ich auf meine Schlotterknie, damit sie endlich Ruhe geben.

Ausgerechnet jetzt fällt mir auch noch ein Spruch meiner Mutter ein. Hast du denn gar nichts von deinem Vater ... Wie ich das hasse! Um es einmal nicht hören zu müssen, bin ich auf dem Rummel mit ihr in diese Trommel gestiegen. *Wie im All,* stand auf dem Plakat, *erleben Sie die Schwerelosigkeit!* Aber es war alles Schwindel. Von wegen Schwerelosigkeit. Reine Fliehkraft, nichts weiter. Die Trommel wurde auf eine wahnsinnige Umdrehung gebracht, sodass es einem den Rücken an die Wand presste und die Wangen zur Seite zog. Aber geschrien habe ich erst, als sich der Boden entfernte. Der wich einfach nach unten weg und ließ uns an der Wand kleben. Ich brüllte. Wie die anderen spreizte ich Arme und Beine und drückte mich mit allem fest, was ich hatte. Trotzdem spürte ich, wie ich unaufhaltsam an der Wand nach unten glitt. Schwerelosigkeit, ha! Elendig schwer war ich. Ich brüllte wie eine Irre. Aber auf dem Rummel ist das nichts Besonderes, da brüllen viele. Wenn sie zu brüllen aufhören, lachen sie.

Lachen konnte ich nicht.

»Hat das nicht Spaß gemacht?«, wollte meine Mutter wissen.

»Schwindel!«, sagte ich wütend. »Alles Schwindel! Das war doch nur Zentrifugalkraft! Überhaupt keine Schwerelosigkeit!«

»Dass du immer alles wörtlich nehmen musst«, maulte sie. »Und woher willst du das überhaupt wissen.«

Von Zentrifugalkraft hat sie keine Ahnung. Dafür weiß sie, wer in welchem Tennisturnier gewonnen hat und wo der Weltrekord im Hochsprung zurzeit steht und wie die einzelnen Etappen der Tour de France verlaufen. Bei jeder Sportsendung klebt sie am Fernseher. Bei Wissenschaft schaltet sie ab.

Ich erklärte ihr, dass die Zentrifugalkraft die Fliehkraft eines um eine Achse gedrehten Körpers nach außen ist. Das hatte ich aus einem Buch meines Vaters. Und kam damit ganz gut über meine Panik hinweg. Zu Hause schaute ich nach, weil ich es genau wissen wollte. Die Zentrifugalkraft wächst mit dem Quadrat der Drehzahl, das war es.

Im Innendeckel des Buches steht per Stempel der Name meines Vaters, Martin Radek. Sein Namensstempel gehört zu meinen geheimen Schätzen. Er steckt in einem Etui und sieht aus wie ein gewöhnlicher Kuli, aber wenn man die Kappe abschraubt, kommen die zwei Flügel eines zusammenklappbaren Stempels heraus.

Ich habe alle Mitschriften, Protokolle und Entwürfe aus acht Semestern Studienzeit gestempelt, die noch nicht gestempelt waren. Eine Klappkiste voller Unterlagen. Ich habe meiner Mutter verboten, sie jemals anzutasten. Sie war nämlich bereits drauf und dran, das alte Zeug, wie sie es nannte, endlich in den Papiercontainer zu stecken. Dabei ist meine Mutter nicht sehr ordentlich; mehr als zehn Jahre hatten die Skripten unter Schuhen und alten Klamotten auf dem Boden ihres Kleiderschranks gelegen. Ein Glück, dass ich dazugekommen bin, als sie ausmistete.

Die Sporturkunden meines Vaters sind nicht mit dabei gewesen, denn die hängen seit jeher an allen Wänden unserer Wohnung. Mein Vater und meine Mutter haben sich beim Freeclimbing kennengelernt. Vielleicht an einer Felswand wie dieser da drüben.

Meine Knie haben sich beruhigt. Ich schwinge mich auf einen Ast und äuge durch das Blättergewirr hinüber. Den unteren Teil der Wand kann ich sehen. Überhaupt macht es mir nichts aus, eine Felswand direkt von vorn anzuschauen. Nur oben stehen möchte ich nicht. Schon von der Vorstellung zittern mir die Beine. Oder von unten nach oben gucken und mir ausmalen, wo ich die Finger- und Fußspitzen setzen müsste, um hinaufzukommen. In halber Wand hängen und nicht mehr vor und zurück wissen. O Gott. Ohne Seil, ohne alles. Den Abgrund unter mir.

Es gibt ein Foto von meinem Vater, auf dem er gerade einen Überhang umklettert. Von unten aufgenommen. Eine grausig glatte Wand.

Das Foto zeige ich Kevin, wenn er noch einen Piep sagt. Der Idiot. Sein Vater ist eine sportliche Null. Wie Brüder nur so unterschiedlich sein können. Martin und Daniel Radek. Keine Ähnlichkeit. Nicht mal äußerlich.

Von meiner Mutter gibt es kein Foto in der Wand. Obwohl sie sich da kennengelernt haben. Meine Mutter hat jetzt auch keine Zeit mehr für Extremsport. Geldverdienen geht vor, sagt sie, leider. Gott sei Dank, sage ich, aber nur leise, nur so für mich. Ich habe schon Angst um sie, wenn sie Rad fährt. Volle Pulle bergab. Wenn sich da ein Steinchen querlegt ... Manchmal denke ich, sie hat keine Fantasie. Gleichzeitig wünsche ich mir, auch so zu sein. Eine Frage des Trainings vielleicht? Wenn ich nur daran glauben könnte.

Die Felswand ist etwa zwanzig Meter von meinem versteckten Sitzplatz entfernt. Ihre obere Hälfte war anfangs noch von der Sonne beschienen, jetzt ist die Sonne hinter einem Hügel verschwunden. Das Licht hat sie hiergelassen, aber den Glanz hat sie mitgenommen. Auf einmal sehe ich, wie düster alles ist, ganz besonders der Fels da drüben.

Und da, in diesem Moment, kommt aus dem Boden, dort, wo das Gestein in gelbliches Gras übergeht, eine

Hand. Erschrocken ziehe ich die Luft ein. Ich verenge die Augen – es ist wirklich und wahrhaftig eine Hand! Eine braune Hand, die sich bewegt; sie tastet auf dem Felsen herum und versucht, sich festzukrallen, aber es gelingt ihr nicht. Jetzt probiert sie es im Gras.

Die braune Hand ist viel zu groß für eine Menschenhand; sie ist dick und plump und erdig – eine Farbe wie Lehm. Eine Hand, die aus dem Boden wächst, einfach so, und herauswill, mit allem, was nach ihr kommt.

Ich muss nicht sehen, was genau das ist, ich will nur noch weg und hinunter zur Herberge, zu den anderen, die vielleicht Martina Schlotterbein sagen, aber sonst harmlos sind. Ich will sogar zu Kevin. Zitternd rutsche ich vom Ast. Hoffentlich tragen mich meine Beine, ich muss nämlich erst mal zur Felswand. Laufe ich in die andere Richtung, dann schneidet mir das Monster den Weg ab.

Zwei Schlotterschritte – und ich fahre zurück, tief in die schützenden Blätter hinein. Zum Arm gehört nämlich plötzlich ein Kopf. Erdfarben, mit wirren lehmbraunen Zotteln und hellen Augen. Ein zweiter Arm kommt aus dem Boden. Zwei Arme, ein Kopf, von der Erde ausgewürgt. Die Geburt eines Monsters. Es stemmt sich heraus, wird lang und länger, kriegt Schultern, Brust und Bauch. Sitzt einen Moment aufrecht. Zieht Beine nach. Endlose Beine und alles aus einer Farbe.

Wir haben mal mit Ton modelliert, so kleine Männchen.

Das da drüben ist kein kleines Männchen.

Ich muss in meinem Versteck frei stehen. Denn wenn ich mich anlehne, fallen dem Baum alle Blätter ab.

Das Monster kniet gekrümmt vor dem Loch, aus dem es geboren wurde. Will es zurück? Nein, es greift in die Erde und zieht einen weiteren Arm heraus, einen dicken, plumpen braunen Arm. Was Rundes kommt nach – ein Helm aus Lehm. Darunter ein Lehmgesicht, ein Lehmkörper und Lehmbeine.

»Mann«, stöhnt das zweitgeborene Monster, »ihr macht vielleicht einen Scheiß!« Es wirft sich auf den Boden und schreit in die Erde hinein: »Verrottet!« Dann rollt es zur Seite und bleibt bewegungslos liegen.

Das erstgeborene Monster lacht.

Es lacht mit der tiefen Stimme eines großen Jungen. Dann greift es wieder mit dem Arm in die Erde und leistet Geburtshilfe.

Ich atme einen Sack voll Angstdämonen aus. Der Luftstrom bringt ein Eschenblatt zum Beben. Es knickt am Stielansatz, bricht ab und schwebt lautlos zu Boden. Ein Fiederblatt aus elf gegenständigen Teilblättern, unpaarig, weil an der Spitze ein einzelnes Endblatt steht. Die Gewöhnliche Esche, Fraxinus excelsior. Wächst in der gemäßigten Zone der Nordhalbkugel, bis hinauf in mittlere Höhenlagen. Mir geht's wieder besser. Keine Gefahr mehr, beim Anlehnen den Baum zu entlauben. Panik vorbei. Bin nicht mal sauer auf mich, diesmal nicht. Oder hätte nicht jeder das Schlottern gekriegt, wenn die Erde Monster auswürgt?

Mein Vater, hätte der das Schlottern gekriegt? Und

meine Mutter, die mir nichts weiter vererbt hat als ihre roten Haare? Nein, die beiden hätten nicht geschlottert, die wären cool geblieben. Konnten sie denn mit ihren Genen nicht sorgfältiger umgehen und darauf achten, was sie weitervererbten? Auf die roten Haare hätte ich noch am leichtesten verzichtet.

Fraxinus excelsior. Wenigstens die Begeisterung für Bäume habe ich von meinem Vater geerbt.

2

Die Erde bringt noch zwei Lehmmenschen hervor: ein Mädchen und einen Mann oder vielleicht einen großen Jungen. Ich bleibe in meinem Versteck, ich sehe von hier aus genug. Das braune Mädchen, dem lange, lehmverklebte Haare unter dem Helm hervorquellen, sagt: »Ist das eine Totgeburt?«, und tritt überraschend grob gegen den Menschen, der am Boden liegt. »Hey, Alex, bist du eine Totgeburt?«

Alex fährt hoch. »Bonni, spinnst du?«

Bonni weicht zurück und macht etwas Seltsames. Sie fährt sich mit gefächerten Fingern am Körper hinab und formt den Lehm, der ihr in den Händen bleibt, zu einem braunen Klumpen. Sie holt aus. Der Klumpen trifft Alex am Kopf.

Alex springt vom Boden auf. Er kratzt nun seinerseits Lehm von seinem Körper und bewirft Bonni damit.

Bonni kreischt und schleudert weiter. »Hey! Die Totgeburt lebt wieder! Ecke! Shelley!«

Die beiden Jungen reagieren darauf, indem sie Lehm zusammenkratzen und Alex damit bewerfen. Ich sehe die Brocken fliegen. Ich sehe, wie Alex sich duckt. Wie er fieberhaft von überall Lehm zusammenscharrt, das meiste findet er an seinen Beinen. Er hat gar keine Zeit mehr, sich aufzurichten, er schleudert von unten, während es ihm auf Helm und Rücken knallt. Was ankommt, bleibt kleben. Mit den Geschossen fliegen Rufe und Lachsalven.

Der, den sie Ecke nennen, trägt als Einziger keinen Helm. Er scheint der Anführer zu sein, er ist der Erste, der aus der Erde gekrochen ist. Der mit dem englischen Namen Shelley kam als Letzter. Wenn jemand in Ruhe Lehmklumpen schleudern kann, dann er. Und er trifft. Bonni kreischt vor Freude. Zu dritt decken sie Alex ein. Bis er genug hat und zum Weg rennt.

Sie verfolgen ihn ein paar Schritte, sehen ihn um den Felsen verschwinden und fallen sich dann mit Geschrei in die Arme, wie Fußballspieler nach einem Tor. Ich beobachte die drei, wie sie jetzt, einer den Arm um den anderen gelegt, lachend zum Weg gehen und davonstapfen. Laub klebt an ihren Füßen. Sie sind wie eine Skulptur aus einem einzigen Klumpen. Wie eine Brunnengruppe. Wie ein Denkmal, aus einem großen braunen Stein gehauen.

Ich schüttle den Kopf – warum mir immer solche Sachen einfallen? Mit diesen Anwandlungen, aber auch mit meiner Biologiewut, bin ich ganz allein. Ich kann unmöglich normal sein.

Aber vielleicht will ich das gar nicht. Im Moment jedenfalls nicht. Ich schaue den dreien nach und weiß plötzlich: Ich möchte zu ihnen gehören. So stark kannte ich bisher nur einen Wunsch: zwischen meinem Vater und meiner Mutter in der Wand zu klettern.

Von der Sonne ist jetzt nichts mehr zu sehen, aber es

ist noch hell. Ich folge den dreien von Baum zu Baum und von Strauch zu Strauch. Selbst wenn ich wie ein Elefant durch den Wald trampeln würde, könnten sie mich nicht hören, sie machen zu viel Lärm. Sie holen Alex ein. Da sie den geraden Weg zur Herberge nehmen, überhole ich sie in einem Bogen, ich bin zum Glück schneller als diese lebenden Lehmklumpen.

Die Herberge ist ein umgebauter Bauernhof. Um einen Kiesplatz gruppieren sich die Wirtschaftsgebäude und das Wohnhaus. Dem Eingang gegenüber ist ein offener Geräteschuppen und unter dem Vordach des Schuppens steht eine alte Kutsche. Die hatte es mir gestern schon angetan. Ich steige hinein und lehne mich auf der harten Bank zurück. Im Wohnhaus drüben brennt Licht. Wahrscheinlich gibt es gleich Abendessen. Mir graut vor dem Hineingehen, vielleicht kichern und feixen sie wieder.

Jetzt knirscht der Kies in der Einfahrt. Die Lehmfiguren sind da, sie gehen hintereinander zur Haustür: Ecke, Bonni, Alex und Shelley.

Plötzlich ein keifendes Geschrei – die Wirtin. Sie steht in der Tür und schaufelt mit den Händen. »Ihr Dreckbären! So kommt ihr mir nicht ins Haus! Ausziehen und waschen, da drüben ist ein Wasserhahn!« Sie zeigt in meine Richtung, und als ich mir in der Kutsche den Kopf verrenke, sehe ich den Blumengarten, der sich an den Schuppen anschließt, und den Wasserhahn an seinem Zaun.

»Die Dreckklamotten hängt ihr in den Schuppen! Bringt sie ja nicht ins Haus!« Damit verschwindet die

23

Wirtin. Sie schmettert die Tür zu, und ich kann mir fast vorstellen, dass sie auch noch einen Riegel vorschiebt.

Die vier legen lammfromm ihre Helme ab. Und ihre umgehängten Maschinenpistolen, die in Wirklichkeit große, lehmbesudelte Taschenlampen sind. Dann setzen sie sich in den Kies; ihre Hosenbeine sind, wie sich herausstellt, mit Riemen über den Klumpschuhen festgebunden und an denen zerren sie nun. Alex motzt und flucht. Die anderen lachen. Sie fangen schon wieder an, mit Lehmbrocken zu werfen.

Ich stelle mir vor, wie ich aus der Kutsche steige, mitten in den Geschosshagel hinein. Da bleibe ich doch lieber brav sitzen.

Endlich zerren sie die Schnürstiefel von den Füßen und schälen sich aus ihren verkrusteten Overalls. Durchweichte braunfleckige Sportsocken, verschmierte Pullis, Flanellhemden und schmutzige Jeans kommen zum Vorschein. Alex ist als Erster am Wasserhahn. Die Lehmkruste auf seinem Gesicht weicht auf und läuft als braune Brühe herunter. Jetzt kann ich sein Alter schätzen, er ist mindestens siebzehn. Er verteidigt den Wasserhahn und lenkt den Strahl rechtwinklig auf jeden, der sich nähert. Sogar auf meine unschuldige Kutsche prasselt ein verirrter Schwall.

»Lass den Quatsch, Alex«, schimpft Shelley. »Wir sind schon nass genug. Keiner darf morgen krank sein.«

Alex spritzt munter weiter. Mir kommt der Gedanke, er will vielleicht morgen krank sein. Ecke und Shelley zerren ihn vom Wasserhahn weg. Missmutig hebt er

Overall, Schuhe, Helm und Lampe auf und wirft alles in den Schuppen. Dann stakst er in Socken zum Haus.

»Mach die Dusche nicht dreckig«, flötet Bonni. Sie versucht noch immer, den verkrusteten Knoten ihres linken Schnürsenkels aufzukriegen. Sie hat den Overall über den Stiefel gezogen. Mit dem Erfolg, dass die Hose jetzt innen wahrscheinlich genauso schmutzig ist wie außen. Denn am Schuh hing eine Tonne Lehm. Er ist überhaupt kaum als Schuh zu erkennen. So wie die übrigen sieben Schuhe, die ich gesehen habe. Die liegen inzwischen im Schuppen. Jetzt kommt Bonnis linker Stiefel hinzu – Ecke hat Hilfe geleistet und den Knoten aufgekriegt. Anstatt freundlich Danke zu sagen, brummt Bonni: »Hau ab, Alter.«

Das finde ich cool. Ich möchte auch mit Typen zusammen sein, zu denen ich kumpelhaft *Hau ab, Alter* sagen kann. Ob meine Mutter etwas in dieser Art zu meinem Vater gesagt hat, wenn sie mit ihm in die Wand stieg?

Ich schaue Ecke und Shelley nach. Sie haben sich Gesicht und Hände gewaschen und ihr Zeug sorgfältig im Schuppen aufgehängt; jetzt gehen sie in Socken zum Haus, sportliche Jungen von mindestens siebzehn. Mich selbst hat bisher keiner gesehen, in der Kutsche ist es dunkler als draußen, und man müsste sowieso erst einmal auf den Gedanken kommen, es könnte jemand in der Kutsche sitzen.

Ecke dreht sich an der Haustür noch einmal um. »Bonni, wasch dir den Lehm aus deinen langen Zotteln, aber mach den Kopf oben nicht nass, klar!«

»Weiß ich doch, Alter!«, ruft Bonni. Dann rubbelt sie die langen gelbbraunen Haare unter dem Wasserstrahl; sie werden dunkler und dunkler, bis sie überall so schwarz sind wie am Haaransatz, wo der Helm sie geschützt hat. Die Brühe fließt schmierig und milchig in einer Rinne in den Blumengarten. Mit einer kräftigen Bewegung windet Bonni die Haare aus. Sie füllt die hohlen Hände mit Wasser und taucht das Gesicht hinein. Die Dreckschicht schwimmt weg und feine, überraschend junge Züge kommen heraus – das Mädchen ist nicht älter als ich.

Das ermutigt mich, sie anzusprechen. Ich räuspere mich in dem Moment, in dem Bonni das Flanellhemd über den Kopf zieht, weil sie an ihren schmutzigen Hals wohl nicht anders rankommt.

Sie fährt herum, das Hemd hängt an ihren Handgelenken. Der nackte weiße Oberkörper, die Schultern, die Arme, das alles gehört – einem Jungen. Bonni ist kein Mädchen, sondern hat lediglich die langen Haare eines Mädchens.

Ich glotze, die Arme auf dem Kutschenfenster, im Gesicht vermutlich keinen Hinweis auf meine sonst vorhandene Intelligenz.

»Wo kommst du denn her?«, japst Bonni genauso verdutzt.

»Ich war hier …«

»Die ganze Zeit?«

»Logisch.«

»Ach.« Er widmet sich verwirrt den Knöpfen an seinen Handgelenken und kriegt sie endlich auf. Das

Hemd fliegt in den Kies. Die Handgelenke sind jetzt neben dem Hals das Schmutzigste an ihm. Er hält sie unter den Wasserstrahl und reibt die Haut blank.

»Ich hab auch an der Felswand zugesehen, wie ihr herausgekrochen seid. Sah aus wie eine Geburt. Von Erdferkeln.«

»Was, du warst da?« Bonni überhört die Erdferkel. Wasser tropft von seinen Armen. »Ja, wo denn?«

»In dem großen Baum.« Die Esche verkneife ich mir. Wer kennt schon eine Esche. »Ich wollte einfach mal Erdferkel auftauchen sehen. War echt spannend.«

»Hey, hast du den Eingang gekannt?« Bonni staunt. Anscheinend kennt *den Eingang* nicht jeder. »Warst du schon mal drin?«

»Nein.«

»Eine schwierige Höhle.« Er zieht das Hemd wieder an und wickelt sich schaudernd hinein. »Wir sind leider nicht weit gekommen. Wir mussten umkehren, weil Alex nicht mehr wollte. Aber morgen versuchen wir es noch einmal.«

Da meldet sich eine geheime Stimme in mir. Ich will mit, ruft sie. Es ist ein heftiger, plötzlicher Wunsch, und ich stelle mir einen Atemzug lang vor, dass ich gar keine Angst hätte – mit ihnen zusammen könnte ich doch keine Angst haben, oder?

Aber Bonni ist jetzt fertig, er will weg.

Hastig sage ich: »Wir waren heute auch in einer Höhle.«

»In welcher?« Er bleibt stehen.

»In der Teufelshöhle.« Allerdings kriecht mir beim

Gedanken, dass Bonni mit meiner Gruppe ins Gespräch kommen könnte, eine unbehagliche Röte den Hals herauf.

»Ach so, in einer Schauhöhle«, sagt er wegwerfend.

»Wieso Schauhöhle?«, hake ich ein. »Wo ist der Unterschied?«

Er kommt zurück und stützt den Arm an meine Kutsche. »Eine Schauhöhle ist *sicher*. Jeder kann rein. Man macht Führungen. Die Teufelshöhle, ach«, sagt er sehnsuchtsvoll, »die hätte ich *entdecken* wollen, ich hätte mit dabei sein wollen, als sie noch nicht sicher war! Eine gigantische Höhle.«

»Und deine Höhle, ist die noch nicht entdeckt?« Ziemlich unlogisch, was ich da rede. Aber Hauptsache, ich rede.

»Entdeckt schon, was denkst du denn. Es gibt aber nicht viele, die sie kennen, nur ein paar Insider. Vor zwei Jahren hat man sie gefunden, sie hat noch nicht einmal einen Namen. Wir nennen sie No-Name-Höhle. Sie ist schwierig.«

»Wieso?«

»O Mann«, sagt er, »das ist schwer zu erklären, wenn du bisher nur Schauhöhlen kennst!«

»Versuch's einfach.« Ich schaue ihn an und sehe, dass er vor Kälte zittert. »Oder können wir uns nach dem Essen treffen? – Wenn du willst«, füge ich hinzu.

Bonni nickt und klappert mit den Zähnen. »Hier bei der Kutsche?«

»Gern. Und dick angezogen!« Jetzt ist mir auch kalt.

3

Sie haben sich schon Sorgen um mich gemacht. Ich sehe, wie Carsten erleichtert aufatmet. Die Wirtin stellt einen Topf mit dicker Suppe auf den Tisch. »Du hast natürlich das Essen gerochen«, witzelt Carsten.

Kevin und die anderen mustern mich, dann beschäftigen sie sich mit ihren Löffeln, als wären die aus einem nie gesehenen Material. Ich habe das Gefühl, meiner Ankunft ist eine Predigt vorausgegangen – ich bin eine Minderheit, die man schützen muss.

Aber ich brauche Carstens Schutz nicht, ich schütze mich selbst. Kühl sage ich: »Ja, mein Geruchssinn funktioniert.« Ich setze mich neben ihn, obwohl am anderen Ende des Tisches noch ein Platz frei wäre, neben ihm bin ich vor Pöbeleien sicher. Das ist mir im Augenblick besonders wichtig. Denn ich rechne damit, dass auch die Erdferkel zum Essen erscheinen werden, wenn sie erst geduscht haben. Keiner soll mich in ihrer Gegenwart Martina Schlotterbein nennen.

»Hast du wieder Blätter gesammelt?«, will Carsten wissen. Er ist eigentlich ein netter Typ, er hat kapiert, dass ich gern allein bin, und er zwingt mich nicht, ständig dasselbe zu tun wie die Gruppe.

Ich schüttle den Kopf. »Nein, ich habe mich nur umgesehen.«

»Was Schönes entdeckt?«, fragt er.

Ich zögere. Sicher ist die einsame Esche schön. Aber ich stelle mir vor, wie Carstens Horde einfällt und den Baum entlaubt. Es ist *mein* Baum, ich bin nicht verpflichtet, ihn zu teilen. Außer der Esche hätte ich natürlich noch etwas zu bieten, und ich stelle mir vor, wie die Löffel in der Luft stehen bleiben, wenn ich das jetzt erzähle. Die Versuchung ist groß …

»Hey.« Carsten beobachtet mich. »Du hast wohl was Tolles entdeckt?«

Ich klappe die Augenlider herunter. »Nur tausend Baumsorten.«

»Ach so.« Er denkt nach. Dann meint er: »Wir haben doch morgen Wandertag – was hältst du davon, wenn du uns dabei die Bäume erklärst?« Er wendet sich auch gleich an die anderen: »Hallo, ihr alle, was haltet ihr davon, wenn uns Martina morgen die Bäume erklärt?«

Sagenhafte Begeisterung, niemand schaut auf.

Aber ihm gefällt die Idee. »Wir packen Brote ein und ziehen nach dem Frühstück los; wir nehmen uns den ganzen Tag Zeit für den Rundwanderweg, ehe uns der Bus am Abend nach Hause zurückbringt. Dass wir eine Expertin in der Gruppe haben, ist ein Glücksfall.« Hier legt er mir sogar die Hand auf den Arm. »Du gibst uns doch eine Führung, Martina, oder?«

Ich schlucke. Es ist nicht ganz leicht, Nein zu sagen, wenn einer so nett ist; ich merke auch, wie er sich bemüht, mein Ansehen in der Gruppe wiederherzustellen. Doch erstens finde ich es bescheuert, meine Biologiekenntnisse Leuten aufzudrängen, die sie absolut nicht hören wollen, und zweitens habe ich andere Pläne.

»Ich komme nicht mit«, sage ich. »Ich will morgen in die Höhle.«

Carsten kaut daran. Ich kann mir denken, was in ihm vorgeht; erst mal wünscht sich natürlich ein Jugendleiter, dass die Gruppe zusammenbleibt, er trägt ja die Verantwortung; außerdem ist die Wanderung ein geplanter Programmpunkt, genau wie heute der Höhlenbesuch. Aber Carsten weiß auch, dass ich vom Höhlenbesuch nichts hatte. Ich kann sehen, wie es in ihm arbeitet, er denkt vielleicht um und beginnt, an die Story von meiner schwachen Blase zu glauben, denn wer Höhlenangst hat, reißt sich nicht darum, ein zweites Mal hineinzugehen.

»Tja, schade.« Er räuspert sich. »Aber wie kommst du zur Höhle? Für dich allein gibt es keinen Bus.«

»Mit einer anderen Gruppe«, sage ich schnell. »Nach der Abendfreizeit weiß ich mehr. Wir haben doch Abendfreizeit?«

»Ja, natürlich. Aber eigentlich wollen wir Spiele machen. Spielst du nicht mit?«

»Vielleicht später.« Ich lehne mich zurück.

Mein Ansehen ist wiederhergestellt, das sehe ich deutlich. Achtung und Neid schlagen mir entgegen. Ich unterscheide mich von der Gruppe. Ich bin eine Minderheit.

Unsere Suppenteller werden abgetragen, als die Erdferkel zur Tür hereinkommen. Mit einem raschen, prüfenden Blick stelle ich fest, dass Bonni den anderen das Gespräch mit mir verschwiegen hat, denn sie gehen völlig desinteressiert an unserem Tisch vorüber. Und auch Bonni zeigt nur mit einem Wimpernschlag, dass er mich erkennt.

Während wir Würstchen und Brot essen, habe ich Gelegenheit, mir die Erdferkel näher anzusehen. Ihr Gespräch kann ich nicht belauschen, dazu ist es zu laut in der Gaststube. Die Lehmskulptur ist in vier sehr unterschiedliche Typen zerfallen. Der Älteste scheint Shelley zu sein. Er bestätigt diesen Eindruck, als er einen Autoschlüssel aus der Jeanstasche zerrt und auf den Tisch legt. Da fällt mir plötzlich die alte, bunt bemalte Blechkiste ein, die heute Morgen auf den Parkplatz kurvte, gerade als uns der Reisebus zur Teufelshöhle abholte. Ich glaube auch, vier Typen darin gezählt zu haben. Jedenfalls passt das Gefährt hundertprozentig zu den Erdferkeln.

Ob Shelley der Anführer ist? Er ist der ruhigste von den vieren. Das scheint mir eine gute Eigenschaft für einen Anführer zu sein. Trotzdem tippe ich eher auf Ecke. Er sieht zwar jünger aus, hat aber etwas Bestimmendes und ist sehr lebhaft.

Während von Alex überhaupt nichts Bestimmendes ausgeht. Er scheint sich ständig zu verteidigen. Gegen Vorwürfe, Spott, ich weiß nicht, was.

Bonni, der Einzige mit langen Haaren, ist viel jünger als die anderen. Trotzdem passt er auf seltsame Weise dazu. Er ist immer in Bewegung. Er schüttelt die Haare oder redet mit den Händen oder neigt sich über den

Tisch, um Ecke etwas zuzuflüstern. Einmal treffen sich unsere Augen. Als ich Sekunden später wieder hinschiele, ist sein Gesicht röter als zuvor.

Da erst spüre ich das Brennen unter meiner eigenen Haut; Bonni hat mir schon gefallen, als er für mich noch ein Mädchen war. Ich suche nach Anzeichen vorgerückten Alters und rede mir ein, dass jemand mit heller Stimme und null Bart und einem zarten Mädchengesicht trotzdem schon fünfzehn sein kann. Ich wünsche mir dringend, dass er fünfzehn sein soll. Das wurde so gut zu mir passen.

Eine halbe Stunde später weiß ich es besser. Wir sitzen uns in der dunklen Kutsche gegenüber und Bonni ist erst dreizehn.

»Hallo, Erdferkel«, habe ich ihn begrüßt.

»Hallo, Feuerkopf«, hat er zurückgeschossen.

Dagegen konnte ich nichts einwenden, denn Bonni meinte sicher die prächtige Farbe meiner Haare – unter der Lampe in der Gaststube muss mein Kopf wie ein Kaminfeuer geleuchtet haben.

Obwohl Bonni erst dreizehn ist, wirkt er älter als die Jungen in meiner Gruppe. Und man kann gut mit ihm reden. Dass Ecke sein Bruder ist, weiß ich bereits. Außerdem dass Ecke und Shelley dicke Freunde sind. Und dass Alex zum ersten Mal mit von der Partie war. »Bestimmt auch zum letzten Mal«, hat Bonni gemeint.

Alex und Shelley sind achtzehn. Ecke ist siebzehn, aber der geborene Anführer, findet Bonni, und als Bruder sei er ganz in Ordnung. Wen Bonni bewundert, das ist Shelley; Shelley sei ein cooler Typ und gleichzeitig unheimlich erwachsen.

»Ist er Engländer?«, will ich wissen.

»Wieso Engländer?«

»Wegen seines Namens.«

»Nein, das ist die Abkürzung von Schellenberger.«

»Oh …!« Schon wieder ein Fehlschluss von mir. Der grandioseste war ja, Bonni für ein Mädchen zu halten. Das sage ich ihm besser nicht, man weiß ja, wie Jungs sind – es ist ihnen total peinlich, wenn man sie mit Mädchen verwechselt. Wenn wir so wären! Ich zum Beispiel gäbe was dafür, wenn jemand sagen würde: Die klettert wie ein Junge, die schwimmt und springt wie ein Junge. Aber das wird nie jemand sagen, denn ich traue mich leider nicht, vom Dreimeterbrett zu springen, ich behaupte, dass ich eine Chlorallergie habe und wahnsinnige Kopfschmerzen kriege, wenn ich unter Wasser gerate. Einmal hat mich jemand vom Startblock gestoßen, obwohl ich nicht hatte springen wollen. Den habe ich hinterher zur Schnecke gemacht, er war ganz klein, als ich mit ihm fertig war; nach einer Panik habe ich immer einen ungeheuren Adrenalinschub. In Not und Stress produziert der Körper Adrenalin, um sich bis aufs Letzte zur Wehr zu setzen, das ist nicht unpraktisch.

Im Schein der Hoflampe kann ich schwach Bonnis Umriss erkennen. Er sitzt mir gegenüber im anderen Winkel der Kutsche, die Beine auf der Bank und genau wie ich die Arme um die Knie geschlungen.

Schellenberger, wie banal. Für mich bleibt das jedenfalls Shelley. »Wie kommst du auf Bonni, von Bonnenberger?«

»Nö«, knurrt Bonni. »Frag mich niemals nach meinem ganzen Vornamen.«

Ich murmle: »Bo... Bon... Bonifa...«

»Krrr!« Er springt auf und die alte Kutsche wackelt.

»Bin schon still«, sage ich sanft.

Bonni plumpst zurück und gibt seiner Stimme eine drohende Tiefe. »Ich rate dir, meinen Bruder niemals zu fragen, wovon Ecke kommt!«

Ich schweige gehorsam.

»Meine Eltern haben eine Macke, sie schwören auf germanische Vornamen. Meine Schwester heißt Irmingard. Irmi, wenn du *sie* fragst.« Er kichert böse.

»Warum ist sie nicht mitgekommen?«

»Was, Irmi? Die ist doch ein Mädchen!«

Aha. Ich spüre, wie ich ganz ohne Panik Adrenalin produziere. »Und warum, bitte schön, soll ein Mädchen nicht in ein Loch kriechen?«

Sekundenlang höre ich nur unseren Atem. Dann antwortet Bonni: »He, ich weiß nicht. Vielleicht, um sich nicht schmutzig zu machen?«

Er schont mich. Aber das kann ich nicht leiden. »Ich weiß genau, was du denkst! Du denkst, Mädchen trauen sich nicht!«

»Jjjja ... Manche aber schon. Du, zum Beispiel?«

»Ich will dir mal was sagen«, zische ich. »Mein Vater und meine Mutter haben sich beim Freeclimbing kennengelernt. Mein Vater wollte Stuntman werden!« Das wird ihm den Mund stopfen. Ich lehne mich zufrieden zurück.

»Mensch, du hast es gut!« Bonni seufzt tief. »Solche Eltern möchte ich auch haben! Wir müssen unsere Touren zu Hause verheimlichen und unsere Klamotten bei Shelley waschen, der hat eine eigene Bude. Du solltest nach einer Höhlentour mal in seine Badewanne gucken – dicke braune Tunke bis oben.«

Ich denke an die Sachen im Schuppen und grinse.

»Nie dürften meine Leute wissen, was wir hier treiben. Wir kommen schon schmutzig genug nach Hause, die Unterwäsche und alles; aber wenn sie die Overalls und Schuhe und Helme sehen würden – sie kriegten auf der Stelle die Krise.«

»Meine Mutter nicht«, sage ich überzeugt. Sie schenkt mir schließlich zu jedem Geburtstag und zu Weihnachten irgendein Sportgerät. Inlineskates, Skier, Rennrad, Mountainbike – ich habe schon eine beachtliche Sammlung, neuwertig …

»Vor zwei Wochen waren wir in einer wahnsinnig guten Höhle«, erzählt Bonni jetzt.

»Habt ihr das schon oft gemacht?«

»Klar«, meint er wegwerfend.

»Ich wusste gar nicht, dass es so viele Höhlen gibt.«

»Fast keiner weiß das mit den Höhlen«, sagt Bonni. »Man kennt ein paar Schauhöhlen und das war's dann schon. Aber ich denke mir«, er kommt aus seiner Ecke hervor und wird ziemlich lebhaft, »dass die ganze Gegend hier irgendwie untergraben und durchlöchert ist. Nur gibt es nicht viele Eingänge. Die sind versteckt oder verschüttet oder zu klein, behauptet Ecke. Was man kennt, das ist die Teufelshöhle. Und in der Schwäbischen Alb die Bärenhöhle. Und natürlich die gigantischen Tropfsteinhöhlen in Südfrankreich. Warst du da schon mal?«

»Nein. Ich musste meine Oma anpumpen, um diesen Ausflug bezahlen zu können.«

»Oh … Es sind sowieso nur Schauhöhlen«, sagt Bonni schnell. »Die Schönsteinhöhle vor zwei Wochen, das ist eine Superhöhle, die hätten wir heute gern weitererforscht, aber sie ist jetzt geschlossen.«

»Wieso?«

»Wegen der Fledermäuse«, sagt er mit einem seltsamen Unterton in der Stimme.

»Ja, logisch«, stimme ich zu.

Er reckt überrascht den Kopf. »Warum sagst du nicht: Igitt, Fledermäuse? Oder fragst nicht, ob man die Eingänge zumacht, damit sie nicht hineinkönnen?«

»Hältst du mich für blöd, Bonni? Fledermäuse überwintern in solchen Quartieren. Man darf sie nicht stören.«

Beeindrucktes Schweigen.

Sanft fahre ich fort: »Ich nehme an, man verschließt die Eingänge mit Gittern?«

»Genau.«

»In unseren gemäßigten Breiten sind die Fledermäuse auf solche Winterquartiere angewiesen!«

»Ja.« Bonni antwortet auf einmal ziemlich einsilbig.

»Weißt du, warum sie auf solche Winterquartiere angewiesen sind?«, frage ich lauernd.

»Weil sie … schlafen wollen?« Wütend fügt er hinzu: »Gemäßigte Breiten, Winterquartiere – du redest ja wie mein Biologiebuch!«

»Ich will Biologie studieren«, sage ich kühl. »Mein Vater wollte außer Stuntman auch Biologe werden. Und die Fledermäuse sind in unseren gemäßigten Breiten auf solche Winterquartiere angewiesen, weil sie im Winter nichts zu fressen finden, sie *müssen* schlafen …«

»Was fressen sie eigentlich?«, unterbricht er mich. Ein Schauer geht über seinen Körper und er zieht die Jacke enger zusammen.

»Insekten und Früchte. Die Fledermäuse fressen sich im Herbst platzvoll und verbrauchen während des Schlafes langsam diesen Vorrat. Die Temperatur im Quartier muss niedrig sein, sonst geht der Stoffwechsel zu schnell vor sich und der Vorratsspeck verbraucht sich zu rasch. Aber zu niedrig darf die Temperatur auch nicht sein, sonst erfrieren die Tiere.«

»In den Höhlen hat es immer so vier bis acht Grad«, sagt Bonni bereitwillig.

Aha, er lenkt ein und will mir zeigen, dass er mein Wissen anerkennt. Das wollen wir doch mal ganz schnell und für immer befestigen. »Sehr wichtig ist auch die Außenfeuchtigkeit. Obwohl die Fledermäuse im Winterschlaf langsam atmen, verdunsten sie dabei doch Feuchtigkeit. Bevor sie riskieren zu vertrocknen, suchen sie sich eben möglichst feuchte Höhlen.«

Kein Ton von Bonni. Also mache ich weiter. »Manche Leute denken, Fledermäuse sind Mäuse. Dabei sind sie noch nicht einmal verwandt mit den Mäusen. Sie sind die einzigen fliegenden Säugetiere, hast du das gewusst? Sie sind nämlich behaart und säugen ihre Jungen und können zugleich richtig fliegen!«

Ein Murmeln kommt aus Bonnis Ecke. »Bist du jetzt fertig? Können wir das Thema beenden?«

»Okay«, sage ich. Obwohl ich gern noch die Echopeilung angebracht hätte. »Öh, und weißt du, wie sich die Fledermäuse orientieren? Sie stoßen ein hohes Pfeifen …«

Bonni springt auf. »Du kannst mich jetzt mal mit deinen blöden Fledermäusen. Ich haue ab.«

Erschrocken greife ich nach seiner Jacke. »Keine Fledermaus mehr, ich schwöre!«

Bonni zögert einen langen Moment, dann lässt er sich endlich wieder auf den Sitz fallen. »Ich sollte sowieso mal zurück, keiner weiß, wo ich bin.«

»Und morgen kriecht ihr in eure No-Name-Höhle?«, sage ich schnell.

»Sicher. Wir sind ja nicht weit gekommen. Es gibt noch einen bequemen, großen Eingang und zu dem wollten wir vorstoßen. Aber so etwas kostet Zeit. Sieben bis acht Stunden, schätzen Ecke und Shelley. Zuerst haben wir den ganzen Morgen nach dem versteckten Eingang gesucht, weil uns jemand gesagt hat, dass es den gibt. Als wir ihn endlich hatten, war es schon fast Mittag.«

»Und warum habt ihr nicht einfach den bequemen Eingang genommen?«

Bonni stößt verachtungsvoll die Luft durch die Nase.

»Weil uns das eben den Kick gibt. Wenn du weißt, was ich meine.«

Wahrscheinlich weiß ich es nicht. Aber ich ahne es immerhin – sie fühlen sich als Höhlenforscher auf unbekanntem Gebiet und das ist sicher ein gutes Gefühl.

Ich möchte so gern zu ihnen gehören; ich will einmal meine Angst besiegen, mit ihnen zusammen könnte ich das vielleicht. Und zwar in der No-Name-Höhle. Was ist schon die Teufelshöhle. Da latschen alle durch, Senioren und Kleinkinder. In der Teufelshöhle keine Angst zu haben, beweist gar nichts. In die No-Name-Höhle will ich. Mit Bonni und seinem Bruder und den anderen.

»Nehmt ihr mich morgen mit?«, frage ich beherzt.

»Das wollte ich dir gerade vorschlagen«, sagt Bonni ganz selbstverständlich. »Du könntest Alexanders Ausrüstung haben. Der hat nämlich genug. Er will Shelleys alte Karre nehmen und ein wenig in der Gegend herumfahren. Ich frag ihn mal gleich.« Schon steht Bonni auf.

»Warte«, sage ich. »Und wenn sie mich nicht haben wollen, Ecke und Shelley?«

»Warum sollten sie dich nicht haben wollen?«

Weil ich ein Mädchen bin, liegt mir auf der Zunge. »Weiß nicht«, sage ich.

»Komm mit«, schlägt Bonni vor. Er klettert aus der Kutsche und dreht sich nach mir um. »Wir reden mit ihnen, sie sitzen in der Gaststube. Alex lässt sich bereits mit Bier volllaufen, wie ich ihn kenne.«

»Nein.« Ich bleibe vor der Kutsche stehen. »Im Haus ist meine Gruppe. Die dürfen nichts davon wissen.«

»Oh«, sagt Bonni. »Ich kann meine Leute auch herausholen. Soll ich?«

»Ja.« Ich zeige zu einem Tisch unter der Hoflampe. »Dort warte ich.«

Bonni nickt. Er geht über den Platz zur Haustür.

»Warum lässt du dir die Haare nicht schneiden?«, rufe ich ihm nach und fange zu laufen an, denn das wüsste ich doch noch gern.

Bonni geht langsamer. Als ich ihn eingeholt habe, streift er mich mit einem schrägen Blick. »Wegen Ecke«, knurrt er. »Immer bestimmt er alles. Aber meine Haare sind meine Sache, die gehen ihn gar nichts an.« Damit verschwindet Bonni im Haus.

Ich starre noch eine ganze Weile die Tür an, die sich hinter ihm geschlossen hat.

4

Und nun liegt die Besprechung mit den Erdferkeln bereits hinter mir und ich stehe mit Shelley vor meinem Jugendleiter. Shelley hat seinen Spruch aufgesagt und Carsten denkt, wir fahren zur Teufelshöhle – von einer anderen Höhle weiß er nichts. Es funktionierte ganz ohne Lüge, wir haben nur einfach keine No-Name-Höhle erwähnt. Carsten hat auch die Lehmklamotten der Erdferkel nicht gesehen. Keiner außer mir hat sie gesehen. Die Wirtin natürlich. Aber warum sollte die sich mit Carsten Siebert darüber austauschen, sie hat eine Menge Gäste und jeden Tag andere, warum sollte sie sich kümmern. Sie weiß auch gar nichts von mir.

Ich habe einen Moment daran gedacht, Ecke zu bitten, dass er mit Carsten redet, aber dann habe ich mich für Shelley entschieden, weil er den besseren Eindruck macht, er wirkt ruhig und erwachsen und verantwortungsbewusst. Er sollte weiter nichts zu Carsten sagen, als dass ich mit ihnen in die Höhle kann, dass wir früh aufbrechen wollen, schon vor dem Frühstück, dass wir Brote und Tee mitnehmen wollen. Shelley hat seine Sache gut gemacht.

Carsten ist nicht gerade glücklich. Ich überwinde mich dazu, ihn flehend anzublicken; ich sage, dass es mir *sehr* wichtig ist, dass ich überhaupt nur wegen der Höhle mitgekommen bin, dass eine Wanderung für mich langweilig ist. Im Übereifer biete ich ihm auch noch an, aus meinem gesammelten Laub ein Blätterquiz für die Gruppe vorzubereiten, und das sofort.

Carsten ringt mit sich und gibt schließlich nach. Er will allerdings Shelleys Führerschein sehen, um sich davon zu überzeugen, dass es sich bei Shelley um einen volljährigen Menschen handelt, der ein Auto fahren darf und auf mich aufpassen kann.

Shelley hält ihm das Kärtchen unter die Nase.

»Okay«, seufzt Carsten.

Shelley nickt mir zu und geht dann zu seinen Leuten zurück.

»Danke, Carsten«, sage ich mit meinem fröhlichsten Lächeln. Obwohl mir das Herz in die Hose rutscht. Denn Carstens Zustimmung besiegelt mein Schicksal – jetzt muss ich in die Höhle kriechen. Carsten hätte mich durch ein entschiedenes Nein davor bewahren können. Ein leises Beben in meinen Beinen kündigt an, dass ich schön langsam begreife, was ich da gemacht habe. Ehe es sich zum Zittern auswachsen kann, verlange ich Papier und Klebstoff, um das Quiz vorzubereiten. An einem Tisch des Freizeitraums klebe ich typisches Laub auf Papierbögen und schreibe jeweils drei Auswahlantworten darunter, von denen zwei so unmöglich sind, dass man nur die richtige ankreuzen kann. Ich meine, niemand wird bei Ahorn auf Weide oder Birnbaum tippen.

Carsten teilt Kleingruppen ein und lässt sie über

meinen Aufgaben brüten. Ich gehe ein bisschen herum, weil ich sonst nichts tun kann. Nach einer Weile merke ich zu meinem Entsetzen, dass selbst ein solches Babyquiz noch zu schwierig ist. Es könnte mir ja egal sein, aber Carsten Siebert ist plötzlich davon überzeugt, dass er sich zum Lehrer eignet. Wenn sich jemand wirklich nicht eignet, dann er. Er ist nachgiebig und penetrant – eine tödliche Mischung.

Kevin Radek, mein blöder Cousin, murmelt, dass ich schuld daran bin, dass sie diesen Scheiß machen müssen. »Mit der bin ich nicht verwandt, das weiß ich bestimmt«, tobt er leise.

Ich gebe mir Mühe, es zu überhören. Aber da macht er weiter: »Sogar ihre Mutter ist sich nicht sicher, ob wir verwandt sind.«

»Idiot!«, fahre ich ihn an.

»Warum sagt sie dann immer: Martina ist so *anders* ...«

»Wie willst du wissen, was meine Mutter damit meint!«, fauche ich.

»Was kann sie schon meinen.« Er saugt die Wangen ein und knubbelt mit seinen dummen Fingern an einem Eichenblatt herum.

»Ich wäre ja froh, wenn ich mit dir nicht verwandt wäre!«, stoße ich hitzig hervor. Auch wenn der Kerl die Aufregung nicht wert ist, könnte ich platzen vor Wut. Ich habe mich seit jeher mit ihm gestritten.

Er murmelt: »Martin wird schon gewusst haben, warum er deine Mutter nicht geheiratet hat.«

Das verschlägt mir die Sprache. Ich fühle das Blut

aus meinem Gesicht weichen. Ich stürze mich auf Kevin. Der taucht unter den Tisch.

Lehrer Carsten ist mit einer anderen Gruppe beschäftigt und hat nicht mitgekriegt, worum es hier geht. Der Tumult macht ihn aufmerksam. Kevin brüllt unter dem Tisch: »Martina Schlotterbein!«, und ich dresche mit den Fäusten auf seinen Rücken ein.

Carsten, typisch penetranter Lehrer, empfiehlt in voller Lautstärke, dass Kevin und alle, die über sein Schimpfwort lachen, erst einmal so viel Wissen ansammeln sollen wie Martina; sie sollen sich schämen, eine zu veräppeln, die ihnen in Wirklichkeit haushoch überlegen ist.

Ich grinse gequält, zutiefst dankbar dafür, dass die Tür zwischen Freizeitraum und Gaststube geschlossen ist. Ich hole Luft und sage so ruhig wie möglich, dass ich jetzt in meinen Schlafsack kriechen möchte, denn ich muss ja früh raus.

Carsten ist es recht, er entlässt mich. Ich schließe die Tür hinter mir und höre eben noch, wie er den Mädchen, die den Schlafraum mit mir teilen, Anweisung gibt, leise zu sein, wenn sie ins Bett gehen. Also, nett ist er schon.

Als ich am Tisch der Erdferkel vorbeigehe, sagt Bonni: »Haust du dich schon in die Falle?«

»Ja. Mir reicht der Kinderkram.«

»Willst du meinen Wecker haben?«, fragt Shelley.

Ehe ich antworten kann, ruft Bonni: »Ich werfe Steinchen an dein Fenster. Notfalls werf ich das Fenster ein.«

»Brauchst du nicht«, sage ich. »Beim ersten Steinchen bin ich wach.«

»He, Martina«, meldet sich Ecke, »wenn du Schokolade hast, dann bring sie mit.«

»Okay. Reichen zwei Tafeln?«

»Für mich schon.« Ecke grinst. Dann sagt er: »Klar reicht das.«

»Da wäre ich mir nicht so sicher«, mischt sich Alexander ein. Er hat glasige Augen und eine schwere Zunge. »Nimm lieber eine Wochenrat… rat… ratzzzzi… Scheiß.« Sein Kopf sinkt auf den Tisch.

»Vorrat, Alex, wenn du Ration nicht herausbringst«, hilft ihm Ecke.

Alexander hebt das Gesicht: »Einen Vor… was wollte ich sagen?«

Ecke drückt ihm sanft die Nase wieder auf den Tisch. »Schlaf deinen Rausch aus, Alex«, sagt er.

Bonni wiehert.

Shelley hebt die Hand.

Ich weiß nicht, ob er mir nur einen Gutenachtgruß zuwinken will, das kann möglich sein, ich werde es nie erfahren. Denn mit einem Schritt bin ich bei ihm und schlage beherzt meine Handfläche gegen seine. Da hebt auch Ecke die Hand und reckt sie mir entgegen. Und zuletzt Bonni. Alex liegt bewegungslos auf dem Tisch. Ich berühre seine Schulter und hauche: »Gute Nacht, Alter.«

Dann gehe ich erhobenen Hauptes hinaus – ich fühle mich großartig.

Doch als ich in meinen Schlafsack krieche, fällt mir

Kevins letzte Bemerkung ein und nimmt mir die ganze Freude; wenn etwas feststeht, dann, dass mein Vater mein Vater ist. Und diesem blöden Cousin stopfe ich eines Tages das Maul. Mein Vater und meine Mutter hatten eine gemeinsame Wohnung; mein Vater studierte, und meine Mutter verdiente die Brötchen, sie arbeitete im selben Sportladen, in dem sie heute noch Judoanzüge und Hanteln und Inlineskates verkauft. Dort im Laden hätten sie sich theoretisch auch kennenlernen können, aber sie haben sich beim Freeclimbing kennengelernt. In der kleinen Wohnung, in der meine Mutter und ich leben, haben sie mich gezeugt. Das ist sicher wie nichts sonst auf der Welt. Jedenfalls für meine Mutter und mich. Dass sie nicht geheiratet haben, bedeutet gar nichts. Selbst der Idiot Kevin müsste das wissen. Ich habe eine solche Wut, dass ich den Schlafsack sprengen könnte. Und plötzlich weiß ich, warum ich so zornig bin – nicht wegen Kevin, der kann gar nicht so viel Adrenalin in mir produzieren. Es ist, weil die Bemerkung, die er gemacht hat, nicht auf seinem Mist gewachsen ist.

Martin wird schon gewusst haben, warum er deine Mutter nicht geheiratet hat. Das ist typische Erwachsenensprache und stammt von seinen doofen Eltern; nicht umsonst hat mir vor ihrer falschen Freundlichkeit immer gegraut. Ich wälze mich zornig auf die andere Seite; der Schlafsack wickelt sich mit jeder Bewegung enger um meine Beine, sodass ich mir bald wie ein verschnürtes Paket vorkomme. Als die Mädchen ins Zimmer einfallen, habe ich mich gerade freigeschafft und neu zurechtgelegt. Ich drehe mich zur Wand, und was von meinem Gesicht noch zu sehen wäre, bedecken die Haare. Weil ich mich absolut nicht rühre, werden die Mädchen allmählich sorglos, und ich erfahre, dass mich die beiden aus der Parallelklasse für unerträglich hochnäsig halten, ich würde ja echt gut aussehen, aber vielleicht sei ich gerade deswegen so eingebildet, und überhaupt sei ich sowieso total verstrebt, so eine wie ich, die brauche gar keine Freundin, die brauche nur gute Noten zum Vorzeigen bei ihrer Mami …

Es macht keinen Spaß, sich so etwas anzuhören, und ich beschließe, mich auf die andere Seite zu drehen. Das Getuschel hört sofort auf.

Gute Noten, das soll wohl ein Witz sein, für gute Noten bin ich in der Schule viel zu still, und meine Mutter legt auch wenig Wert darauf, ihr wäre es lieber, ich würde eine Lehre machen und nicht an Abitur und Studium denken. Sie würde sich wünschen, dass ich von meinem Vater nicht das Bedürfnis zu studieren, sondern lieber das andere geerbt hätte: seine Leidenschaft für Sport.

Aber darin bin ich eben eine totale Versagerin. Vielleicht schlägt bei mir irgendein furchtsamer Urgroßvater durch; es gibt in den Unterlagen meines Vaters tolle Schaubilder zur Vererbungslehre; danach hat ein Mensch namens Mendel verschiedene Sorten Kaninchen gekreuzt, auch mit Erbsen und Löwenmäulchen hat er es versucht, und was dabei herauskam, sind die Mendel'schen Vererbungsgesetze. Ein rot blühendes Löwenmäulchen mit einem weiß blühenden gekreuzt, ergibt in der ersten Tochtergeneration vier rot blühende. Das weiße Merkmal ist aber nicht untergegangen, es taucht in der zweiten Tochtergeneration wieder auf: ein weißes Löwenmäulchen auf drei rote. Wenn das weiße Merkmal, sagen wir: die Angst meines Urgroßvaters wäre, hätte ausgerechnet ich sie voll abgekriegt …

Mein einziger Trost ist, dass ich kein Löwenmäulchen bin und vielleicht – vielleicht! – etwas gegen dieses bescheuerte Merkmal tun kann. Morgen um diese Zeit werde ich es wissen, ich werde in der Höhle gewesen sein. Oder möglicherweise noch drinstecken?

Schon setzt das bekannte Zittern ein. Ein beklemmendes inneres Flattern, das in die Beine krabbelt und meine Knie zusammenschlagen lässt. Mir wird abwechselnd heiß und kalt. Ich wünsche mir sehnlichst, die Mädchen hätten das Nachtlicht brennen lassen, denn jetzt ist es im Schlafraum so dunkel wie in einer Höhle. Auch das Hoflicht vor dem Fenster ist ausgegangen. Hastig winde ich mich aus dem engen Schlafsack und taste mich zur Tür – immerhin gelingt es mir, kein Geräusch zu machen. Im Waschraum atme ich auf. Ich stütze mich auf das kalte Becken und starre mich im Spiegel an; meine Sommersprossen setzen sich deutlich von meiner kalkweißen Haut ab, man könnte sie zählen, wenn sie zählbar wären. Es ist genau die Haut meiner Mutter. Als ich klein war, kam mir jede andere Haut langweilig vor; ich habe die draufgängerische Lebendigkeit meiner Mutter in ihrem Gesicht, in den unzähligen lustigen Punkten wiedergefunden.

Einmal fuhr sie Kettenkarussell, ihr hübsches, gesprenkeltes Gesicht mal zu mir gekehrt, mal abgewandt, sie kreiselte, sie lachte, es war ein lustiges, lockendes Lachen. Und dann erinnere ich mich an ihre ausgebreiteten Arme und ihren Versuch, mich in das Karussell zu setzen.

Nur Menschen wie meine Mutter haben eine solche Haut, davon war ich überzeugt. Es war eine große Überraschung, und ich war schon in der Schule, als ich es entdeckte: Ich gleiche meiner Mutter ganz und gar. Den Verwandten meines Vaters fiel es auch auf, sie fanden es unheimlich wichtig und erwähnten auf einmal bei jeder Gelegenheit, dass ich meiner Mutter wie aus dem Gesicht geschnitten sei. Als hätte damit mein Vater keinen Anteil mehr an meiner Zeugung.

Aber über die vererbte Ähnlichkeit hinaus haben wir nichts gemeinsam. Meine Mutter trägt ihr rotes Haar kurz und jeden Tag ein wenig anders, je nach Laune. Sie mag Stirnbänder und verrückte Ohrstecker und freche Klamotten, und es stört sie nicht, wenn man sich nach ihr umdreht. Ich dagegen habe immer dieselbe Frisur, ich flechte meine Haare höchstens mal zum Zopf und am liebsten trage ich Jeans und die alten Pullover meines Vaters.

Ich raffe jetzt meine Haare vor dem Spiegel und halte sie locker im Nacken fest. Dann lege ich den Kopf schief und grinse, wie meine Mutter grinst. Sie schaut mich für eine Sekunde aus dem Spiegel an, und ich will ihr gerade das morgige Abenteuer unterschieben, da ist der Augenblick schon vorbei. *Ich* bin das und niemand sonst, die da im Waschraum steht, sich anstarrt und unter den Sommersprossen käsebleich ist.

Wenn ich lange genug hier stehe, kann ich vielleicht noch krank werden, vom gekippten Fenster her kommt ein kalter Zug. Die Sonne ist gegen siebzehn Uhr untergegangen, das war vor neun Stunden, und die Oktobernacht wird immer kälter. Ich horche in mich hinein, ob sich nicht schon ein wenig Fieber ankündigt. Ich sehe mich glühend im Schlafsack liegen, ich wälze mich in wilden Fantasien von einer Seite auf die andere. Man verständigt meine Mutter. Sie sagt sofort die Radtour ab, die ihr Klub für Sonntag geplant hat, sie setzt sich ins Auto und holt mich heim. Bis ich wieder gesund bin, sind die Erdferkel längst vergessen.

Aber will ich die Erdferkel denn vergessen? Nach dem kameradschaftlichen Handschlag? Habe ich mich nicht darum gerissen, zu ihnen zu gehören, und ist es mir nicht bereits halbwegs geglückt? Will ich das wirklich sausen lassen? Und die großen Töne von wegen *einmal meine Angst besiegen*? Hätten mein Vater oder meine Mutter sich absichtlich in einem lächerlichen Waschhaus erkältet, um einem Abenteuer aus dem Weg zu gehen?

Die Haut unter meinen Sommersprossen rötet sich ein wenig. Schnell verlasse ich den Waschraum und gehe ins Zimmer zurück. Ich knipse die kleine Lampe neben der Tür an, und als sich niemand rührt, lasse ich sie brennen und krieche in meinen Schlafsack.

5

Ein klirrendes Geräusch am Fenster weckt mich. Ich fahre hoch – Bonni! Die Nachtlampe ist im grauen Morgenlicht nur noch eine gelbe Birne. Meine Armbanduhr zeigt Viertel vor sieben. Ich tappe an den schlafenden Mädchen vorbei und gebe Bonni ein Zeichen, dass ich ihn gehört habe. Ich frage mich, ob ich nun eigentlich geschlafen habe oder nicht; ist das Tageslicht so schleichend gekommen, dass ich nichts davon bemerkt habe, oder bin ich tatsächlich gegen Morgen noch in einen leichten Schlaf gefallen?

Ich fühle mich furchtbar. Hellwach und zugleich todmüde. Mit weichen Knochen und Schlabbermuskeln. Mit einer Million rötlicher Punkte auf käsiger Haut. Mit einer Verengung im Hals. Mit einem Magen, der meldet, dass er vorhanden ist und über der Gürtellinie sitzt und unangenehm werden kann. Ich gehe ungefähr so aufrecht wie ein nasser Wischlappen.

Als ich fröstelnd im Hof stehe, kommt Shelley mit zwei Thermosflaschen und einem Lunchpaket aus dem Haus. Ecke und Bonni kramen drüben im offenen Schuppen herum.

Shelley lächelt. »Morgen«, sagt er und stellt das Zeug auf einen Gartentisch.

»Morgen«, antworte ich mit kalten Lippen. Mein Handschlag fällt nicht sehr beherzt aus.

»Müde?«, will er wissen.

Ich nicke stumm.

»Das vergeht«, meint er.

Meine einzige Hoffnung, in der Tat.

»Morgen, Feuerkopf«, ruft Bonni.

»Feuerkopf?« Ecke dreht sich um. Er betrachtet mich und grinst. »Wir gehen heute ohne Lampen.«

»Wieso?«, frage ich beunruhigt.

Die drei tauschen Blicke und wiehern.

»Wir schicken dich voraus, Feuerkopf«, sagt Ecke. »Ist deine Batterie geladen?« Er drischt mir einen Schlag in die Hand, der mich beinahe aus den Schuhen hebelt.

Jetzt kommt Bonni mit ausgestreckter Hand auf mich zu und ich wappne mich. Er holt aus. Doch im letzten Moment bremst er und aus dem erwarteten Schlag wird eine sanfte Berührung.

Ich bringe ein dünnes Lächeln zustande und spüre, wie ich rot werde. Alle meine Punkte fangen zu glühen an. Ich bin auch der Meinung, dass wir uns die Lampen sparen können, meine Birne leuchtet wie eine abgefeuerte Silvesterrakete.

Zugleich hat sich aber mein Magen für den Moment beruhigt. Und auch die Beine stehen solide auf dem Kies.

»Ecke, du Böser«, sagt Shelley, »macht man vor dem Frühstück schon ein Mädchen fertig?« Mir flüstert er zu: »Das ist der pure Neid.« Er lächelt mich blitzschnell und ganz lieb an, so kurz nur, dass es auch Einbildung gewesen sein kann.

»Mich macht keiner fertig«, sage ich forsch.

Ich mache mich schon selber fertig. Mit Nachtangst und solchem Quatsch.

Bonni streckt mir ein lehmbraunes Gebilde entgegen, das einer Erdverwerfung ähnelt. Ich greife zimperlich danach. Es ist so schwer, wie es aussieht, und kracht zu Boden, wo es wie die Alpen in Miniatur stehen bleibt.

Es ist Alexanders Overall.

Als ich das nasse, lehmstarre Miniaturgebirge halbwegs geglättet habe, hilft mir Shelley hineinzusteigen. Er flucht halblaut auf Alexander, *den Trottel*, der zu faul war, den Overall wenigstens aufzuhängen. So gut es geht, spachtelt er mit der Hand Lehm von meinen Beinen und schleudert ihn aus dem Schuppen.

Ecke steigt in seinen Overall und sagt ungerührt: »Alles für die Katz. Du bist keine fünf Minuten in der Höhle, dann siehst du wieder genauso aus.«

»Aber wenigstens hineinkommen soll sie«, gibt Shelley zurück. »Du kannst ihr ja gleich Blei an die Beine hängen.« Mit verkrusteten Bändern schnürt er die Hose über meinen Socken fest.

Ich versuche, die starren Ärmel umzukrempeln. Aber Shelley schüttelt den Kopf. Er teilt mit dem Messer eines der Bänder in zwei Teile und befestigt damit die Ärmel an meinen Handgelenken.

Bonni stülpt mir Alexanders Helm über den Kopf. Es wird dunkel um mich. Ich versuche, mir vorzustellen, wie ich aussehe. Und vor allem, wie ich agieren soll. »Ähh – habt ihr vielleicht auch einen Blindenstock?«, erkundige ich mich.

»Man kann den Helm innen verstellen«, sagt Shelley. »Soll ich dir helfen?«

»Ich versuch's selber.« Damit nehme ich den Topf ab und fummle an seinem Innenleben herum.

Während ich noch damit beschäftigt bin, fängt Bonni zu jammern an, dass so ein nasser, schmutziger Anzug ganz schön beschissen sei. Ich habe große Lust, ihm zuzustimmen. Aber ich beherrsche mich; ein untrügliches Gefühl sagt mir, dass ein Mädchen sich in dieser Situation jede Äußerung gut überlegen sollte; ein Junge, der bleibt ein Junge, auch wenn er jammert.

»Brauchst du ein Daunenbett, Alter?«, brumme ich.

»Was?« Er starrt mich an.

»Und eine Wärmflasche?«

Er schnappt nach Luft. »Du! Gerade frisch dabei und schon Töne spucken! Du kannst was erleben!« Er sucht nach Lehmklumpen.

Ich gehe in Deckung. Meine Zähne schlagen aufeinander, so unbehaglich kalt und schwer ist der Anzug.

»M… mach mal«, klappere ich, »dann w… wird's uns w… wärmer!« Ich werfe einen zufälligen Blick zum Haus hinüber und habe plötzlich die fixe Idee, Carsten könnte vor dem Frühstück einen Morgenspaziergang machen wollen. Noch ist alles ruhig, und wir vier scheinen die Einzigen zu sein, die schon auf sind. Aber die Unruhe packt mich. Wenn Carsten mich sieht …

Ich breche das Geplänkel ab und grinse Bonni

freundschaftlich an. Ich kann kaum glauben, dass wir uns erst seit vierzehn Stunden kennen.

»Ich weiß eine Abkürzung«, sage ich.

Dann stapfen wir auf dem Pfad hinter der Scheune davon. Ecke und Shelley befördern unser Frühstück.

»Noch kalt, Bonni?«, erkundigt sich Ecke. »Wir hätten im Haus essen sollen ...«

»Nein«, sagt Bonni schroff.

Ich grinse in mich hinein. Klar darf ihm nicht kalt sein, wenn einem Mädchen nicht kalt ist. Bestimmt könnte ich ihm einen Gefallen tun, wenn ich schnell mal für fünf Minuten bibbern würde. Aber mir schenkt auch keiner was.

Wenigstens habe ich meine eigenen trockenen Turnschuhe an, das hohe Paar, das ich liebe und von dem ich mich hinterher wahrscheinlich verabschieden darf, wenn ich mir das misshandelte Schuhwerk meiner Kumpels so ansehe. Alexanders U-Boote habe ich im Schuppen stehen lassen, irgendwo sind Grenzen für ein Mädchen, das unbedingt zum Kumpel werden will.

Vor meinem Bauch baumelt die Stablampe. Zuerst hat sie nur gefunzelt. Aber seit Shelley das verschmierte Glas mit Spucke gereinigt hat – an der Innenseite seines Hemdes –, ist ihr Licht kräftig. Ein Schalter für Dauerbetrieb, ein Druckknopf für Intervall. Ich überzeuge mich davon, dass sie wirklich ausgeschaltet ist.

Wir waten durch raschelndes Herbstlaub bis zum Ende des Hochwaldes. Einen Steinwurf entfernt sind die Felsen, die jetzt von den ersten Strahlen der Morgensonne erreicht werden. Durch das Laub über unseren Köpfen schießen helle Sonnenbalken, die Welt fängt zu leuchten an.

»Hier frühstücken wir«, entscheidet Ecke. »Auf der anderen Seite der Felsen ist es kalt, da kommt noch keine Sonne hin.«

Eine Thermosflasche ist für Bonni und mich, die andere teilen sich Ecke und Shelley. Bonnis Finger sind eiskalt, als er mir den Becher gibt.

Shelley packt Brote aus.

Wir lehnen an der Felswand, zum Sitzen ist es zu kalt.

Obwohl ich die Augen zukneife, sauge ich den leuchtenden Morgen geradezu ein. Herbsttage können neblig und trübe sein und fast wünsche ich mir einen solchen. Denn diese Sonne heute ist verschwendet an vier Erdferkel, die das Geschenk gleich achtlos wegwerfen werden.

Noch nie habe ich einen schöneren Morgen erlebt. Mein Hals wird verdammt eng, ich kriege das Brot nicht runter. Ich erkläre es den anderen damit, dass ich morgens keinen Appetit habe. Auf eine Lüge mehr kommt es nicht an. Aber sie bestehen darauf, dass ich meinen Anteil esse, das sei unbedingt nötig, sagen sie, und sie hätten keine Lust, mich wie einen schlappen Sack mitzuschleifen.

Ich reiße mich zusammen und würge die Brocken runter, dazu schlürfe ich heißen Tee in winzigen Schlückchen. Der Becher wandert zwischen Bonni und mir hin und her. Unsere Finger werden wärmer.

Mir fällt auf, dass sich die Brusttaschen von Bonnis Overall seltsam wölben. »Notproviant?« Ich tupfe mit dem Finger hin und es ist unerwartet hart.

Bonni runzelt die Stirn. Ecke und Shelley grinsen.

»Notlicht«, sagt Ecke bedeutungsvoll.

Bonni bellt ihn an: »Das ist meine Sache!«

Ich schaue verblüfft in sein zorniges Gesicht. Habe ich in ein Wespennest gestochen? Ich kenne mich bei den beiden nicht aus – mal ist Ecke der beschützende große Bruder, mal distanziert er sich völlig von Bonni. Ob das zwischen Geschwistern immer so ist? Wenn ich welche hätte, wüsste ich es vielleicht. Aber meine Mutter hat nur meinen Vater geliebt.

Bonni beantwortet meinen fragenden Blick gereizt. »Der denkt nicht daran, dass sein Licht auch ausgehen kann!«

»Muss ich auch nicht«, kichert Ecke, »du hast doch Ersatz für zwei.«

»Hab ich. Aber nicht für dich!« Bonni schäumt.

Mein Denkapparat setzt sich in Bewegung: Moment, wie ist das mit dieser Batterielampe, die ich da umhängen habe, die geht doch auch mal aus, oder?

Shelley kann Gedanken lesen. »Deine Lampe ist ganz neu«, beruhigt er mich. »Sie hat nur gestern ein paar Stunden gebrannt.«

Ecke, der für meine Begriffe zu fröhlich ist, knufft Shelley, um ihn an seinem Vergnügen teilhaben zu lassen. »Der Kleine«, japst er, »geht nur mit doppeltem Ersatz!«

Bonni überlässt mir den Teebecher und fängt mit

geballten Fäusten zu tänzeln an. Er schleudert die langen Haare nach hinten, seine Augen blitzen gefährlich.

Ehe ich recht begreife, wälzen die Brüder sich am Boden. Mal ist der eine oben, mal der andere. Bonnis Haare fliegen nur so. Der wortlose Kampf wird von Stöhnen begleitet.

Ich suche erschreckt Shelleys Augen.

Shelley grinst ein wenig. Er winkt ab. »Die brauchen das immer wieder mal«, sagt er. Er schraubt die Thermosflaschen zu und sucht ein Versteck für sie. Vom Lunchpaket ist nur noch ein leerer Beutel übrig. Den stopft er zusammen mit den Flaschen in einen Ginsterstrauch.

Es wird ernst.

Mein Magen wölbt sich über der Gürtellinie und droht damit, dass er demnächst *sehr* unangenehm werden kann.

»Passt dein Helm?«, will Shelley wissen.

Ich nicke beklommen. Die Galgenfrist scheint vorüber. Ich habe noch nie verstanden, wie Verurteilte eine sogenannte Henkersmahlzeit in sich hineinschaufeln und vielleicht sogar genießen können.

Ecke zupft schwer atmend Blätter aus Bonnis Haaren, Bonni tastet mit der Hand nach seinem Batterienvorrat und zieht die Nase hoch. Ich habe nicht gesehen, wer von beiden den Kampf gewonnen hat. Laub klebt rundherum an ihren schmutzigen, feuchten Overalls. *Geteert und gefedert*, fällt mir ein. Habe ich aus einem historischen Roman.

»Jetzt sind sie geteert und gefedert«, sage ich mit dünnen Lippen zu Shelley.

»Hm?« Sein Blick ist verständnislos.

»Geteert und gefedert«, wiederhole ich.

»Was ist das?«, fragt er.

»Mit solchen Sachen darfst du Shelley nicht kommen«, sagt Ecke. »Er hat nicht Geschichte studiert, sondern das Schreinerhandwerk. Was, Shelley? Bei euch wird höchstens geleimt und gespänt!« Er hopst vor Freude und schlägt Shelley vor, den Leuteschinder in seinem Betrieb in Leim und in Sägespänen zu wälzen. Nackt natürlich. Und ob das nicht eine niedliche Strafe wäre. *Geleimt und gespänt.*

Ich merke schon, Eckes Vorfreude auf den Höhlenausflug besteht ungemindert, kein Argument der Welt könnte ihn dazu bringen, stattdessen eine hübsche Wanderung in der freundlichen Sonne zu machen. Ich kann mir die Worte sparen. Weiß sowieso nicht, wie beginnen.

Der Helm sitzt. Darunter quellen meine Haare hervor. Ich könnte sie hineinstopfen, aber der Overall entstellt mich schon genug. Ich sehe, wie Shelley seine Brille gegen das Licht hält, ehe er die flexiblen Bügel um die Ohren windet und den Helm darüberstülpt.

»Scheibenwischer montiert?«, witzelt Bonni.

»Ihr habt es gut«, seufzt Shelley. »Mit 'ner Brille bist du in der Höhle ganz schön behindert. Darfst nie hinfassen, sonst ist es aus mit der Sicht.«

»Gut, dass ich Kontaktlinsen trage«, sage ich. Hatte heute Morgen beim Einsetzen so zittrige Finger, dass mir die linke Sehhilfe um ein Haar durch den Ausguss davongeschwommen wäre. Wär gar nicht so übel gewesen. Ohne die linke Sehhilfe bin ich blind. Relativ blind. Bestimmt zu blind für eine Höhle. Plötzlich weiß ich es sicher: Ich hätte sie davonschwimmen lassen sollen.

Mir weicht fühlbar das Blut aus dem Gesicht. Man könnte meine Sommersprossen zählen.

Aber Shelley sagt nur: »Ich leg mir auch mal Kontaktlinsen zu. Kriegt man sie auf ein Brillenrezept?«

»Ich glaube nicht.« Wir gehen hinter Ecke und Bonni um die Felsen herum und gleich wird meine Esche auftauchen. »Man muss schon eine ziemliche Sehschwäche haben. Oder zweierlei Augen wie ich.«

»Zweierlei Augen?«

»Ja.« Ich erkläre ihm, dass ich rechts nur eins Komma fünf Dioptrien habe, also praktisch fast ohne Sehhilfe auskommen kann, dass ich links aber vier Dioptrien habe. Deshalb bräuchte ich rechts ein dünnes Brillenglas und links ein dickes. Weil das unschön auffallen würde, kriege ich Kontaktlinsen verordnet.

Ich bin stolz auf diese Besonderheit. In meiner Klasse wissen alle davon. Spätestens seit dem Schulausflug nach Ulm. Dort steht der angeblich höchste Kirchturm der Welt. Wie nicht anders zu erwarten, wollten die meisten hinauf. Ich nicht. Als ich zum ersten Mal zurückblickte, verschwammen die Stufen. Ich klammerte mich ans Geländer, der ganze verdammte Turm drehte sich. »Ich kann das nicht machen«, erläuterte ich unserer Lehrerin, »weil mein räumliches Sehen eingeschränkt ist. Ich habe links vier Dioptrien und rechts nur eins Komma fünf. Der Augenarzt hat gesagt ...«, und so weiter. Der Augenarzt hat tatsächlich gesagt, unterschiedliche Augen können sich möglicherweise ein wenig schwerer tun mit dem räumlichen Sehen, aber ich bräuchte mir keine Gedanken zu machen, mein Gehirn würde schon für das richtige Bild sorgen. Und das tut es auch. Ich habe kein Problem mit dem räumlichen Sehen. Aber es ist manchmal ganz praktisch, medizinische Details zu kennen.

Ich überlege gerade, ob es nicht besser wäre, Shelley, Ecke und Bonni über die Schwierigkeit des räumlichen Sehens bei unterschiedlichen Dioptrien aufzuklären, da sehe ich, dass ich ein wenig warten muss, wenn ich mit meiner Rede alle drei erreichen will. Denn während ich in den Anblick meiner Prachtesche versunken war, ist Ecke vom Erdboden verschwunden. Wie er gestern als Erster hervorgetaucht ist, ist er nun als Erster weg.

Shelley zuckt die Achseln. »Dem passiert schon nichts. Das ist seine Art, der spinnt halt.« Dann zeigt er mir das Loch, das ich bisher nicht gesehen habe. Es ist ein flacher Spalt am Fuß der Felswand und man kann glatt daran vorübergehen.

Ungläubig blicke ich vom Spalt zu Shelley und Bonni. Nichts auf der Welt kriegt mich da rein. Ganz abgesehen davon, dass ich vorher zur Maus mutieren müsste. Weiß der Himmel, wo Ecke abgeblieben ist. *Dahinein* kann er nicht verschwunden sein.

Vom Erdmittelpunkt her kommt eine ferne, hohle, unmenschliche Stimme. Sie nähert sich bedrohlich.

Und auf einmal erscheint Eckes unbedeckter Kopf im Spalt. »Wo bleibt ihr Lahmärsche?«

Jetzt ist die Gelegenheit, auf meinen Defekt hinzuweisen, alle sind da und keiner wird bestreiten, dass räumliches Sehen unerlässlich ist für eine Höhlenerforschung. Ich befeuchte die trockenen Lippen. Ein Krächzlaut kommt aus meinem Hals, den keiner hört.

Denn Bonni wirft sich mit Kriegsgeheul auf den Boden und schiebt die Füße ins Loch. Seine Lampe hat er abgelegt. »Hau ab, Alter«, brüllt er nach hinten, »sonst kriegst du meine Treterchen zu schmecken!«

Shelley kniet nieder und nimmt die Lampe, um sie ihm nachzureichen. Es dauert, weil Bonni sich verrenkt und verwindet und vermutlich mit den Beinen irgendwo im Nichts zappelt. Das größte Hindernis sind die dicken Brusttaschen.

Shelley schaut über die Schulter zu mir hoch. Er muss den Kopf weit in den Nacken legen, denn der Helm nimmt ihm die Sicht. Er lächelt aufmunternd. »Du bist die Nächste, Martina. Ich mache den Schluss.«

6

Wie unter Zwang knie ich mich auf den Boden. Es ist nicht allein Shelleys liebes Lächeln, sondern auch Bonnis grünes Gesicht. Grün bis in die Nasenspitze. Und etwas in seinen Augen, das ich nicht ergründen kann. Dann ragt nur noch die Hand heraus, die mit mir den Becher geteilt hat, und fummelt nach der Lampe.

»Die Beine zuerst, das geht leichter«, rät mir Shelley und ruft dann ins Loch hinein: »Bonni, bleib hinten dran, nimm Martinas Füße!«

Ich fasse es nicht, aber ich tu's. Liege auf dem Bauch und winde mich rückwärts in einen Spalt hinein, den nur eine Maus passieren kann. Meine Füße stochern nach Halt und fühlen sich plötzlich ergriffen. Ich kann einen Aufschrei nicht unterdrücken.

»Geht's?«, fragt Shelley. »Hab keine Angst. Das ist ein Panikschlupf, danach wird's leichter.«

»Ah ja«, ringe ich mir ab. »Wusste nur bisher nicht, dass ich die Maße einer Maus habe.«

Shelley lacht.

»Was wackelst du denn so?«, kommt es hohl aus dem Erdinnern.

Ich wackle nicht, ich zittere. Wie die Blätter an meinem Baum, wenn der Wind hineinfährt. Meine Esche, der ich einen verzweifelten Abschiedsblick aus der

Mausperspektive zuwerfe. Der Helm donnert gegen das harte Gestein, als ich weiterrutsche. Es kommt überraschend, es dröhnt, aber es tut nicht weh.

»Daran muss man sich erst gewöhnen«, klärt mich Shelley auf. »Die erste halbe Stunde brummt man ständig irgendwohin.«

Ein Dankgebet für den Helm. Ohne ihn hätte ich bereits eine klaffende Schädelwunde. Der Mageninhalt steht mir im Hals. »Gleich bin ich weg«, presse ich hervor. Die geheime Botschaft dahinter lautet: Lass mich bitte, bitte nicht abtauchen, halt mich fest, zieh mich raus, tu was!

»Wär's dir mit Seil lieber gewesen?« Shelley hat ein zusammengerolltes Seil über der Schulter mitbefördert, das jetzt neben ihm im Gras liegt. Die Botschaft ist angekommen, mit dem Seil zieht er mich raus!

Aber das ist ein Irrtum. »Jetzt geht es leider nicht mehr«, sagt er. »Wir hätten es vorher um dich wickeln müssen. Bonni stützt dich doch, oder?«

Meine Beine schlottern in Bonnis Händen, mein Knie schlägt gegen etwas Hartes, mein Bauch schlurrt über den steinigen Untergrund. Alles, was noch im Magen ist, wird nach oben massiert. Ich würge und schlucke. Wenn ich jetzt kotze, kann ich mich nicht mal bewegen. Mund zusammenpressen, auf die Zähne beißen. Es ist die Anstrengung, Shelley, nur die Anstrengung. Ich bringe es fertig zu grinsen. Wie ein Totenkopf. Dann schließt sich der Schacht um mich.

Bonni ruft dauernd: »Tritt suchen … mehr rechts … mehr links … jetzt abwärts …«

Im hellen Spalt über meinem Kopf erscheint Shelleys Hand mit meiner Stablampe. Ich greife zu und suche den Schalter. Ich brauche die Lampe *sofort*, das Außenlicht entfernt sich, jetzt ist es ganz weg, weil Shelley sich davorschiebt. Ich bin in der Erde gefangen. Meine zittrigen Finger finden den Schalter nicht.

»Mach deine Lampe an, ich sehe nichts!«, kreische ich nach hinten.

»Alles okay«, sagt Bonni, »ich fühle dich. Ich lasse dich jetzt los.«

»Nichts okay, ich sehe nichts!«

»Dann mach doch *deine* Lampe an! *Ich* hab kein Problem, es kommt ja noch Licht von außen.«

Ich drücke verzweifelt an der Stablampe herum, während Shelley schreit: »Alles weg da unten? Ich komme!«

Ich sehe seine Beine und merke, dass es meine Lampe ist, die das Licht gibt. Ihr Schein zuckt über enge, dunkle Wände und über die zappelnden Beine, die schräg über mir nach einem Halt tasten. Bröckchen von irgendwas treffen mein Gesicht.

»Fang das Seil, Martina!« Shelleys Stimme ist noch draußen, sie klingt dünn und fern. Das verschnürte Seil fällt an seinen Beinen vorbei und landet neben meinem Arm. »Hast du's?«

»Ja!«, rufe ich. Was soll ich damit, ich muss mich auf Hände und Knie stützen und auch noch die Taschenlampe halten, wie soll ich das Seil nehmen? Zitternd hänge ich mir eine Schlaufe über den Unterarm. Das Seilpaket schleift nach, als ich rückwärtskrieche, um für Shelley Platz zu schaffen.

»Du kannst dich jetzt vorsichtig drehen, es geht«, sagt Bonni.

Bonggg. Mein Helm kracht gegen den Fels.

»Vorsichtig, hab ich gesagt! Und nicht aufrichten, das geht noch nicht.«

Enge Wände im Licht meiner Lampe, Bonnis geisterhaftes Grinsen. Er kauert auf allen vieren. »Fertig? Dann weiter im Kriechgang. Wenn du willst, kannst du dein Licht sparen, denn jetzt brauche ich meines.« Seine dunkle Gestalt wird von wechselnder Helligkeit umrissen, der Strahl seiner Lampe gleitet weit voraus und bricht sich an kantigen, niedrigen, gekrümmten Wänden, die ewig weiterlaufen und nirgendwo ankommen.

Wir kriechen leicht abwärts, immer tiefer in die Erde hinein, die mächtigen Felsen ruhen auf uns. Ich darf mir nicht vorstellen, dass die Decke nachgibt, ich muss mich beschäftigen, ich muss was denken, ich muss den Mund aufmachen und schreien. Ich schaue mich nach Shelley um und krache mit dem Helm gegen die Wand. »Wie soll ich denn das Seil mitnehmen?«, schreie ich.

»Lass es liegen«, sagt er. »Und häng dir die Lampe um. Dazu hat sie ja den Gurt.«

Shelleys ruhige Stimme tut mir gut. Und dass er so nah ist. »Kann die Decke nicht nachgeben?«, sage ich gepresst.

»Sie hat Jahrtausende gehalten«, meint er, »warum soll sie jetzt nachgeben.«

Verdammt, wie kann man so ruhig sein? Oder gar so

bedenkenlos wie Ecke – der fährt in die Erde wie ein Bohrkopf!

»Bonni, wo ist eigentlich dein Bruder?«, brülle ich. Der da vor mir kriecht, scheint auch die Ruhe selbst zu sein.

»Keine Ahnung«, sagt Bonni. »Er wird an der ersten Gabelung auf uns warten.«

Unser Abstand vergrößert sich, ich kann nicht so schnell. Ich weiß nicht einmal, ob meine Handflächen noch heil sind. Alle Muskeln schmerzen von der gebeugten Haltung. Ich will mich aufrichten, nur wenigstens mal den Hals strecken, ohne irgendwo hinzudonnern!

Aber mir bleibt nichts anderes übrig, als gebückt weiterzukriechen. Der Fels wird jetzt nass. Meine Hände rutschen ab. Es fängt zu schmieren an.

Und plötzlich sehe ich nichts mehr. Bonni ist mit seinem Licht um eine Biegung verschwunden und Shelleys Lampe hinter mir ist auf einmal auch aus. Einen Augenblick starre ich in die absolute Finsternis, höre meinen Herzschlag und fühle das Gewicht der Lampe, die unter mir baumelt, und das Tonnengewicht der Felsen über mir. »Shelley, bist du noch da?«, flüstere ich. Meine Stimme zischelt und bricht sich an den engen Wänden. Wo ist der verdammte Schalter dieser verdammten Lampe – ich stecke mitten in der Erde und die Wände erdrücken mich!

»Aber klar«, sagt Shelley ruhig. »Mach mal dein Licht an. Meine Lampe spinnt. Wahrscheinlich ein Wackelkontakt.«

Ich sitze gekrümmt im engen Gang und leuchte Shelleys Finger an, die an seinem Scheinwerfer herumschrauben. Es ist eine viel größere Lampe, als wir anderen sie haben.

»Marke Eigenbau«, murmelt er, »fantastische Reichweite. Aber irgendwo muss ein Wackelkontakt sein.«

Zwei gegessene Brote drängen sich auf engstem Raum, das Kinn sitzt mir auf der Brust, alles ist zusammengeschoben. Ich schlucke verzweifelt. Mein Mund füllt sich mit Spucke, mein Gesicht wird kalt und nass, meine Hände verzittern den Lichtschein. Gleich kann ich nicht mehr …

Shelley haut mit unerwartetem Zorn gegen den Metallrahmen, da glüht die Lampe auf. Sie strahlt mich so plötzlich an, dass ich den Kopf zur Seite reiße. *Bonggg.* Die Felswand.

Und da macht mein Magen einen Satz und befördert alles heraus, was ich in ihn hineingestopft habe. Ich würge und übergebe mich und würge, bis nichts mehr kommt.

Nach einem ersten unwillkürlichen Laut der Überraschung hält Shelley schön still und beobachtet mich.

Dann, als ich bebend und flatternd Luft hole, macht er den Mund auf. »Was war denn das, Martina?« Die unsinnigste Frage der Welt.

»Ich habe gekotzt.« Erschöpft will ich mich gegen die Wand lehnen, aber die Decke hängt natürlich zu tief. *Bonggg.* Das war jetzt einmal zu viel.

»Ich hab doch gesagt«, fauche ich, »dass ich kein Frühstück vertrage!«

»Ist das immer so?«

»Ja! In der Schule kotze ich jeden Tag, wenn meine Mutter mir was reingezwungen hat!« Eine aus meiner Klasse kotzt in der Schule jeden Tag, wenn ihre Mutter sie zum Essen gezwungen hat, ich nicht. Ich esse gern und meine Mutter würde mich auch zu nichts zwingen. Ich stelle sie mir vor, sie sieht mich jetzt und hier, ihr lustiges Gesicht erstarrt vor Schreck, sie glaubt es nicht – das kann nicht ihre Tochter sein, die würde doch niemals in eine solche Situation geraten! Komm, sagt sie, ich kenne eine Abkürzung nach draußen. Sie nimmt mich an der Hand und schon stehen wir vor einer Holzpforte, meine Mutter steckt den Schlüssel ins Vorhängeschloss, stemmt den Riegel zurück und Luft und Licht strömen herein, das helle Sonnenlicht eines wunderschönen späten Oktobersonntags …

Jetzt merke ich, wie drückend die Luft ist, hier gibt es viel zu wenig Sauerstoff. Aus meinem Einatmen wird ein Schluchzer. Nicht mal abwischen kann ich mich.

»Hast du ein Taschentuch?«, frage ich Shelley.

»Ich hatte eines, aber ich hab's Alex gegeben. Es müsste in einer deiner Taschen stecken. Er hat das Lampenglas damit gesäubert.«

Ich finde das Tuch. Ein Männertaschentuch mit Streifenmuster. Mein Vater hatte auch solche. Es ist klamm und lehmverschmiert. Ich wische mir damit das Gesicht ab.

Shelley schaut interessiert zu. Danach bemerkt er: »Vorher warst du sauberer …« Er grinst.

Ich zucke die Achseln und grinse zurück. »Wir müssen über das hier drüberkriechen«, sage ich mit Blick auf mein ausgewürgtes Frühstück. In Wirklichkeit hatte ich sagen wollen: Bringst du mich hinaus ins Freie?

Shelley nickt unbekümmert und leuchtet für mich. Danach leuchte ich für ihn. Eine Pfütze mit unverdauten Brotbröckchen bleibt hinter uns zurück.

Nach einer Weile gibt Shelleys Lampe wieder den Geist auf – gerade als sich der Gang gabelt. Ich höre Ecke und Bonni rufen, aber ich weiß nicht, aus welchem der beiden Gänge.

»Mach dein Licht aus«, sagt Shelley.

Das gefällt mir gar nicht, aber ich gehorche. Sowie es dunkel ist, sehe ich am fernen Ende des einen Ganges einen Lichtschein tanzen. Dorthin also. Ich krieche weiter und merke bald zu meiner grenzenlosen Erleichterung, dass diese unmögliche Röhre hier in eine größere Höhle münden muss. Tatsächlich blicke ich am Ende wie durch ein Fenster in eine geräumige, von Felsbrocken übersäte Höhle hinab, in der Ecke und Bonni uns erwarten. Ich bin so froh, endlich Raum vor mir zu sehen, und sei's auch tief unter der Erde, dass ich am liebsten kopfüber hinunterhechten möchte. Vor lauter Freude rufe ich Ecke und Bonni zu: »Ihr gemeinen Typen!«

»Ihr Lahmärsche«, gibt Bonni zurück. »Wir warten schon drei Tage auf euch!«

»Shelleys Scheinwerfer ist kaputt«, erkläre ich.

»Was, schon wieder?«, will Ecke wissen. Er tastet den oberen Teil der Höhle mit seinem Lichtstrahl ab, die Schatten tanzen und springen, Felsvorsprünge und

Vertiefungen, alles ist in Bewegung. Ehe mir schwindlig wird, steige ich vorsichtig mit Bonnis Hilfe in die Höhle hinab. Alles ist nass und schmierig und die Mitte des Raumes nimmt eine große Lehmpfütze ein. Ich umgehe sie auf holperigen Brocken, meine Schuhe saugen sich fest, jeder Schritt wird von einem schmatzenden Geräusch begleitet.

Shelley ist hinter mir aus dem Fenster gestiegen und haut den Metallrahmen seiner Lampe gegen die Wand. Nichts passiert.

»Die ist hin«, sagt Ecke.

»Aber gestern ging sie doch auch wieder!« Bonni klingt beunruhigt.

Shelley winkt Ecke zu sich. »Leuchte mir mal«, sagt er.

Dass ich gekotzt habe, hat er über dem Lampenproblem vielleicht vergessen. Aber ich traue ihm auch zu, dass er so anständig ist, es nicht zu erwähnen. Ecke an seiner Stelle würde garantiert eine nette kleine Pantomime daraus machen. Und Bonni? Ich weiß nicht.

Er ist auch hinzugetreten und beugt sich über den Lichtschein. »Kriegst du sie wieder hin?«

Shelley gibt keine Antwort. Seltsamerweise habe ich Vertrauen zu ihm. Mich stört nur, dass die Lampe gestern schon kaputt war.

»Das Ding war noch nie zuverlässig«, sagt Ecke jetzt. »Weißt du noch ...« Er schildert genüsslich eine dramatische Abseilaktion, während der Shelleys Scheinwerfer ausging und seine eigene Lampe nutzlos und unerreichbar in einem Nebenraum lag.

Ich will das eigentlich gar nicht so genau wissen. Anders als Bonni, der sich sehr dafür interessiert, wie Ecke und Shelley sich eigentlich geholfen hätten. »Schwein gehabt«, murmelt er, als er hört, dass eine weitere Gruppe auf die beiden gestoßen sei und sie praktisch gerettet habe.

Ein solches Wunder kann ich mir hier nicht vorstellen; meinem Gefühl nach sind wir vier die einzigen Menschen, die diese Höhle kennen. Ich muss mich ablenken. Muss das Dunkel ausleuchten. Noch nie habe ich so einen bizarr zerklüfteten Raum gesehen, wo hinter jedem Vorsprung Spalten in das Gestein schneiden, die vielleicht weiterführen. Eine Wand lässt mich an einen erstarrten Wasserfall denken, als wäre das Wasser im Fall erfroren, Welle auf Welle übereinander und grünlich glänzend. Wenn wir nicht so grausig allein wären, könnte das schön sein. Auch die Tropfsteine, die sich an der Decke gebildet haben.

»Liegt es wirklich nicht an den Batterien?«, will Bonni wissen.

Shelley schüttelt den Kopf. »Hab ich schon ausprobiert.«

»Willst du mal meine prob…«

»Nein«, sagt Shelley, »deine passen nicht. Das Scheißding ist wirklich im Eimer.« Er klopft gereizt daran herum.

»Sie geht!«, brüllt Bonni.

Tatsächlich gibt die Lampe einen unsteten Schimmer von sich.

»Vielleicht wenn ich sie nur wenig bewege …« Shelley

hält die Lampe wie eine Bombe, die man zum Entschärfen trägt. »Wo geht's weiter?«, fragt er.

Ecke stürmt mit schmatzenden Schritten voraus und auf einen komfortablen Gang zu. Bonni folgt ihm und ruft mir zu: »Hier lang, Martina! Hast du den Wasserfall gesehen?«

»Sicher.« Die Sache mit Shelleys Lampe beunruhigt mich sehr. Warum kehren wir eigentlich nicht um, wenn das Ding nicht funktioniert? Das wäre doch naheliegend!

»Wartet mal«, sage ich, als ich bei ihnen bin. Ich leuchte meine Handfläche an. Quer über den Daumenballen zieht sich ein blutiger Kratzer, er hat mit Lehm zusammen eine dünne Kruste gebildet. »Ich brauche ein Pflaster.«

Die drei tauschen ratlose Blicke.

»Habt ihr euch denn noch nie verletzt?«, sage ich ungläubig.

»Zeig mal«, fordert Ecke mich auf. Er beleuchtet meine Hand, und ich knipse sofort meine Lampe aus, um die Batterien zu schonen. »Das ist nicht schlimm. Wir haben schon übler ausgesehen. Spuck einfach drauf.«

»Seid ihr noch nie auf die Idee gekommen, Verbandszeug mitzunehmen?«

»Na ja, draußen denkt man halt nie dran«, meint Shelley ein wenig verlegen.

Der Kratzer sieht eigentlich lächerlich aus, nicht erwähnenswert. Ich will nicht wissen, was für Hände meine Eltern hatten, wenn sie klettern gingen. Aber was, wenn mein Tetanusschutz nicht ausreicht? Ich will nicht gerade an Wundstarrkrampf sterben! Wenn ich Pech habe, ist der verdammte Erreger jetzt schon in meine Blutbahn eingedrungen.

»Manche tragen Handschuhe«, sagt Shelley, »aber mit Handschuhen fühlst du halt nicht so gut, wohin du greifst. Deswegen gehen wir ohne. Du bist besser mit dem Gestein verbunden.«

»Ohne Helm auch«, sagt Ecke grinsend.

»Ein Helm ist schon gut«, meint Shelley.

Bonni macht einen ungeduldigen Schritt. »Diskutieren wir jetzt, bis wir kein Licht mehr haben, oder was?«

Bevor ich mich in Bewegung setze, werfe ich einen sehnsüchtigen Blick zurück in die große Höhle. Wo war doch gleich das Fenster, durch das wir eingestiegen sind? Ich habe keine Ahnung, aus welcher Richtung wir gekommen sind. Es gibt viele Löcher und Spalten hier, aber nur eine Öffnung führt letztendlich hinaus, über den unendlich langen Kriechgang, der sich irgendwo gabelt.

»Weiß jemand, woher wir gekommen sind?«, frage ich.

Ecke hört mich schon nicht mehr und Bonni stapft auch weiter.

»Kein Problem«, sagt Shelley, »hier waren wir doch gestern schon.«

Der Gang ist nur für kurze Zeit komfortabel. Dann versperrt uns ein Wasserloch den Weg. Zum Überspringen ist es zu groß. Rechts und links sind die schmierigen Wände. Was sie an Unebenheiten zu bieten haben, hätte meinem Vater und meiner Mutter genügt, mir ist es zu wenig. Ich sehe mit beginnender Panik, wie Ecke und Bonni vor mir Aufsetzpunkte für ihre Füße suchen, wie sie abrutschen und es erneut probieren.

Ecke schafft es und ist drüben. Bonni drückt sich im letzten Drittel kräftig ab, und während ein Fuß über die Wand nach unten schmiert und die Wasseroberfläche streift, setzt der andere am Rand des Loches auf festem Grund auf. Mit einem Siegesschrei dreht Bonni sich um. »Los, Martina! Du hast gesehen, wie's geht – das schaffst du auch!«

Nie schaffe ich das, die Wände sind viel zu glatt. Ich suche angstvoll über das Wasser hinweg Bonnis Augen. Es ist sowieso kein Wasser, es ist ein lehmbrauner Sumpf, wer weiß, wie tief.

»Klemm die Lampe im Overall fest, ich leuchte für dich«, sagt Bonni. »Leider kann ich dir nicht helfen, denn du brauchst beide Hände.«

Ich taste die Wände ab. Ich suche Halt für einen Fuß.

Shelley sagt hinter mir: »Alex ist gestern durchgelatscht. Es ist dicke Lehmbrühe. Du bist nass bis über die Knie, wenn du das machst.«

»Wenn ich hineinplumpse, bin ich nass bis zum Hals«, gebe ich zurück. Oder bis über den Kopf, ein getauchtes Erdferkel, ich fühle den Matsch schon über mir zusammenschlagen.

»Du plumpst nicht hinein«, sagt Shelley.

»Okay, wenn du es sagst …« Tatsächlich schaffe ich

die halbe Strecke, bevor ich abrutsche und nichts dagegen machen kann, es gibt keinen Tritt mehr. In letzter Not stoße ich mich vorwärts und Bonni streckt mir die Hände entgegen.

Es reicht nicht. Ein Bein taucht ein, das Knie des anderen schlägt auf harten Fels. Bonni zieht mich hoch. Mein Fuß war nur eine Sekunde drin, aber der Schuh ist nicht mehr zu erkennen, ich trage einen schweren braunen Stiefel bis zum Knie.

»Bist du in Ordnung?«, ruft Shelley.

»Glaube schon.« Ich lache nervös. Das Knie tut weh. Aber wenn schon – ich bin durch.

»Zurück will ich da nicht mehr«, sage ich, während Shelley gefährlich über dem Matschloch turnt.

»Brauchst du nicht. Wir finden den Haupteingang.«

Shelley schafft die schwierige Stelle und nimmt Lampe und Seil wieder an sich. Er hatte beides Bonni zugeworfen. Mit dem Erfolg, dass die Lampe nun wieder streikt.

Er zuckt die Achseln. »Ich probier's mal ohne.«

Nun leuchte ich mehr nach hinten als nach vorn, damit auch Shelley etwas sieht. Es kommen immer wieder Wasserlöcher oder Engstellen, wo es ohne ausreichendes Licht überhaupt nicht geht. Zum Glück bleibt Bonni bei uns. Von seinem Bruder ist schon lange nichts mehr zu sehen.

»Der Idiot«, sagt Bonni zornig. »Der steckt seinen Kopf in jedes Loch. Man kann darauf warten, dass er mal einfach weg ist.«

Der Gang ist wie ein Schlauch mit großen und kleinen Ausbuchtungen und mit Verzweigungen, von denen Bonni immer der größeren folgt. Manchmal fällt ihm die Entscheidung schwer. Von Ecke hören wir hohle, hallende Rufe, die von allen Seiten zu kommen scheinen, oder wir sehen in der Ferne sein zuckendes Licht. Bonni brüllt nach ihm, aber das veranlasst ihn nicht, zurückzukehren. Hier unten, in diesem finsteren Röhrenwerk, klingen Brüllen und Lachen gleich. Und es hallt, sodass die Stimmen kaum voneinander zu unterscheiden sind.

In einer größeren Höhle wissen wir nicht, ob Ecke einem Gang nach unten oder einem anderen nach oben gefolgt ist. Der nach unten sieht aus wie eine Rutschbahn und verschwindet um eine Kurve, ein Abgrund könnte dort lauern. Der nach oben gleicht einem Kamin und verengt sich zu einem Schlitz.

»Mir ist schlecht«, sage ich.

Shelley erschrickt. »Du hast ja kein Frühstück im Bauch!«

»Quatsch.« Bonni schüttelt den Kopf. »Sie hat doch mit uns gegessen.«

»Ich hab's ausgekotzt«, kläre ich ihn auf. »Ich hab euch doch gesagt, dass ich am Morgen nichts vertrage!«

»Hast du an die Schokolade gedacht?«, will Shelley wissen.

Ich nicke. Sie steckt in der linken Brusttasche des Overalls. In der rechten ist das verschmierte Taschentuch.

»Iss etwas!«, fordert er mich auf.

Meine Übelkeit rührt aber nicht vom fehlenden

Frühstück her, sondern vom Anblick der beiden Gänge und von der dumpfen Luft und der Schwere der Felsen. Aber als ein Riegel Schokolade in meinem Magen angekommen ist, geht es mir komischerweise doch besser. Shelley nimmt sich auch ein Rippchen der mehrfach zerbrochenen Tafel, Bonni zwei. Dann brüllt er wieder nach seinem Bruder.

Für einen Moment sehen wir hinter dem senkrechten Spalt am Ende des Kamins einen Lichtschimmer, dann nichts mehr. Eckes Antwort ist nicht zu verstehen, es hallt zu sehr.

»Los!«, sagt Bonni und beginnt, zum Spalt hochzuklettern.

Da überrascht uns ein Licht im Rücken. Shelley und ich fahren herum. Hoch über uns ist ein Loch in der schrägen Wand, das ist hell erleuchtet und Ecke taucht gebückt darin auf.

»Wie bist du denn da hinaufgekommen?«, rufe ich. Abgesehen von wellenförmigen Ablagerungen ist die Wand vollkommen glatt.

»Da komme ich runter«, jubelt er. Sein Licht geht aus.

»Ecke, du Blödmann!«, ruft Shelley und hechtet hinüber. Gerade rechtzeitig, um im Schein meiner Lampe Eckes Rutschfahrt mit beiden Armen abzubremsen. Es ist eine Bauchfahrt, und die Lampe, die Ecke sich auf den Rücken geworfen hat, knallt mit Wucht auf Shelleys Helm.

»Der hat sie doch nicht alle«, murmelt Bonni. Sein Gesicht ist weiß. »Der ist doch … hirnamputiert!«

Ich finde auch, dass Ecke seinen Verstand zu Hause gelassen hat. Falls er einen besitzt.

Bonni baut sich vor ihm auf. »Und wenn Shelley dich nicht gebremst hätte, he? Was dann?«

»Er hat mich aber gebremst.« Ecke lacht. »Wir sind ein eingespieltes Team, was, Shelley?«

Shelley hat nichts dazu zu sagen. Er untersucht Eckes Lampe. Jetzt erinnere ich mich, dass es glitzernd gespritzt hat, als die Lampe auf seinen Helm schlug. Das Glas ist weg. Und die Birne dahinter auch. Die Lampe ist tot.

»Hast du eine Ersatzbirne?«, sagt Bonni mit einem Unterton, den ich sonst nur von mir kenne.

»*Du* sorgst doch von uns beiden für Ersatz«, antwortet ihm Ecke.

Ich hasse Ecke. Und ich sehe Bonnis Lippen zittern, als er sagt: »Ich habe nur Batterien.«

»Auf dich ist eben kein Verlass«, meint Ecke fröhlich.

Anstatt es am Boden auszukämpfen, wendet sich Bonni wortlos von seinem Bruder ab. Er schnappt sich Shelleys Scheinwerfer. »Ich schraube deine Birne heraus, dir nützt sie ja nichts mehr.«

Shelley verdreht die Augen. Jeder sieht, dass sein Scheinwerfer und Eckes Lampe niemals zusammenpassen können.

Bonni probiert es trotzdem, natürlich umsonst. Da kreischt er los: »Was seid ihr bloß für Idioten! Und überall herumerzählen, dass ihr Höhlenforscher seid! Ich möchte mal einen Höhlenforscher mit so einer miesen Ausrüstung sehen! Und mit so wenig Hirn!«

Jetzt ist er zu weit gegangen. Ecke hebt drohend die Hand. Sein Gesicht ist finster. Bonni wendet sich ab und stapft erbittert umher. Während Shelley wieder einmal an seinem defekten Gerät herummacht und den Wackelkontakt sucht.

Martina Schlotterbein haben sie offenbar vergessen.

Martina Schlotterbein zittert am ganzen Leib.

7

Ich habe jedes Zeitgefühl verloren. Ich hatte es bereits verloren, als wir in der ersten Höhle standen. Hier unten gibt es keine messbare Zeit. Ich weiß nicht, wie alt dieses Gestein ist und wann es vom Wasser ausgehöhlt wurde. Hier zählt die Zeit nicht nach Stunden und Minuten, sondern nach Jahrmillionen.

Meine Uhr liegt in meiner Reisetasche. Die steht in einer Herberge, vermutlich nicht sehr weit von hier, aber sie ist unerreichbar. Die Uhr, die Herberge, die Welt im Sonnenglanz.

Bonni hat mir geraten, die Uhr nicht mitzunehmen, er würde seine eigene auch in der Herberge lassen. Ecke und Shelley tragen ihre Uhren in den Hosentaschen unter den Overalls. Dort sind sie gegen Schmutz und Bruch geschützt. Auf die Uhr sehen bedeutet: den lehmverkrusteten Reißverschluss des Overalls aufzerren, mit klammen Fingern in eine enge Jeanstasche greifen, die Uhr herausziehen und mit Lehm verschmieren, über das Glas lecken, ablesen. Und wozu? Nur um zu erfahren, dass auf der Erde die Stunden weitergelaufen sind, während wir uns hier unten verstiegen haben, wo die Zeit sowieso keine Rolle spielt.

Die Jungen beraten mit gedämpften Stimmen, das

ängstigt mich am meisten – wo sie bisher doch ungeniert gebrüllt haben. Ihrem Gespräch kann ich mancherlei entnehmen. Zum Beispiel, dass Bonni erst zweimal mit dabei war, gestern und vor Kurzem in der Schönsteinhöhle. Dass auch Ecke und Shelley bei Weitem nicht die Erfahrung besitzen, die ich ihnen zugetraut habe. Sie wollten sich längst einem Höhlenverein anschließen, wo man ausgebildet wird und mit Fachleuten in die Erde kriecht, aber dann, sagt Ecke auf Bonnis heftigen Vorwurf hin, sei man eben auch nicht mehr frei zu tun, wozu man Lust habe. Und gerade das gäbe einem doch den Kick. Außerdem hätten sie noch jedes Mal wieder herausgefunden, oder etwa nicht? Selbst in der brenzligsten Situation, als beim Abseilen plötzlich kein Licht mehr vorhanden war, wäre nichts passiert. So sei's doch gewesen, oder nicht?

Es ist für einen Moment vollkommen still. Das Schweigen von Jahrmillionen lastet auf uns.

»Wir haben zwei intakte Lampen«, sagt Shelley nach einem Räuspern.

Meine Stimme kommt dumpf mit der Frage: »Warum habt ihr eigentlich keine Helme mit Leuchten?«

»Das ist Spezialausrüstung, das kostet einen Haufen Geld. Die Bauhelme tun's auch«, meint Shelley.

»Zur Not nehme ich die Lampe zwischen die Zähne«, belehrt mich Ecke. »Du frisst ein bisschen Lehm, was soll's.«

Bonni drängt zum Weitergehen.

Es stellt sich heraus, dass uns nach Ableuchten jeden Winkels nur die Rutsche nach unten bleibt. Der Spalt am Ende des Kamins, den Ecke ausprobiert hat, führt in einem Bogen zu dem Loch, durch das er bäuchlings bei uns ankam. Die Rutsche aber ist ihnen allen unbekannt. Mit Sicherheit haben sie sie gestern nicht gesehen, geschweige denn benützt.

»Das bedeutet«, sagt Bonni, »dass wir gestern nicht hier waren.«

»Richtig, Klugscheißer«, antwortet ihm Ecke.

»Wo haben wir dann umgedreht?«

Sie schauen sich an und denken nach. Eigentlich hatten sie sich die Stelle doch eingeprägt, oder? Sie hätten sie wiedererkennen müssen. Sind sie nun achtlos vorübergegangen oder was sonst?

»Was sonst«, sagt Ecke. »Es ist auch das wechselnde Licht. Schon wenn du deinen Scheinwerfer ein bisschen steiler hältst, hast du einen ganz neuen Eindruck. Das ist wirklich eine Superhöhle! Die Typen haben uns nicht zu viel versprochen. Eine echte Superhöhle!«

Seine Begeisterung überzeugt mich nicht. Auch Bonnis Kriegsgeheul bleibt aus. Shelley sagt bedächtig: »Wir müssen einen anderen Abzweig erwischt haben.«

Die Worte hängen für eine Weile in der Stille.

»Gibt es keinen Plan von der Höhle?«, flüstere ich.

»Man arbeitet daran«, antwortet Shelley. »Wir kennen nur das versteckte Einstiegsloch. Von da zum Haupteingang soll es eine Verbindung geben. Dazwischen liegen ein paar Hindernisse und mindestens zwanzig Höhenmeter. Aber wir finden die Verbindung.«

Ich prüfe, ob seine Ruhe nur vorgetäuscht ist. Shelley weicht meinen Augen nicht aus. Mitten hinein in diesen Blick sage ich: »Konnten wir den Haupteingang nicht einfach *benützen*?«

»Dann hätten wir um Erlaubnis fragen müssen.«

»Wen?«

Shelley fängt an, sein Seil aufzuknoten, und Ecke erklärt mir, dass sich der Haupteingang der No-Name-Höhle auf dem Grundstück eines Bauern befindet, genau neben dem Stall, und dass dem Bauern damit die Höhle gehört.

Das kann ich nicht fassen. Dieses ganze unterirdische System von Gängen und Höhlen soll einem Bauern gehören, auf dessen Besitz sich zufällig der Eingang befindet?

»So ist es«, sagt Ecke.

»Und wenn er uns herauskommen sieht?« Hoffentlich sieht er uns herauskommen – dann kommen wir wenigstens heraus!

Ecke zuckt die Achseln. »Was soll er schon machen.«

»Wenn man um Erlaubnis fragen muss«, beginne ich, »dann wissen die Leute, dass man drin ist, nicht? Und können etwas unternehmen, falls man nicht zurückkommt. Aber wenn sie gar nicht wissen, dass man drin ist …« Ich verstumme. Kein Mensch weiß, wo ich bin. Meine Mutter hat keine Ahnung. Selbst Carsten Siebert und die Gruppe wissen nichts.

»Du machst dir doch nicht in die Hose?«, sagt Ecke.

Ich hasse, hasse, hasse ihn.

»Nein!«, fauche ich. Mein Fuß schmatzt, als ich ihn gewaltsam aus einem Schlammloch ziehe. Mein Zittern sieht keiner, denn im unsteten Licht meiner Lampe zittert alles, der Boden, die Wände, die Decke.

Shelleys Finger arbeiten. Das Seil, vorher ein Lehmknäuel, liegt in lockeren Schlingen auf dem geröllbedeckten Boden. Shelley befestigt das eine Ende um seine Mitte. »Sichere mich, Ecke.« Er will zur Rutsche gehen, aber sein Fuß hat sich festgesaugt. Er lacht, als er ihn hochreißt. »Die schmierigste Höhle, die wir bisher hatten, Ecke, was?« Er ist jetzt an der Rutsche.

Mir wird plötzlich klar, dass er verschwinden wird.

»Shelley ... Musst du da runter?«

»Es ist der einzige Weg«, sagt Shelley. »Vielleicht ist er ganz bequem; ich kann nur leider nicht um die Kurve sehen. Deshalb nehmen wir zur Sicherheit das Seil. Mach dir keine Sorgen.« Sein blitzschnelles Lächeln, nur für mich. Dann wendet er sich an Bonni: »Gib mir deine Lampe.«

»Spinnst du?«, fährt Bonni auf. »Dann hab ich ja keine mehr!«

»Du kriegst sie gleich zurück.«

Bonni zögert. Er schaut meine Lampe an. Als ich nicht reagiere, schreit er: »Wir müssen Licht sparen!«

»Hey, Shelley, nimm Martinas Lampe«, schlägt Ecke vor. »Ich lasse dich auch ohne Licht ab.«

Ob *ich* Licht brauche, interessiert hier anscheinend keinen. Aber ich brauche es! Meine Hände umklammern das Gehäuse.

»Martina?«

Ich schaue in Shelleys emporgewandtes Gesicht. Und schlüpfe aus dem Gurt.

»Danke.«

Meine Hände sind leer. Mein Licht fährt die Rutsche hinab.

Es ist kaum um die Biegung verschwunden und sein Schein ist noch schwach sichtbar, da glüht schon Bonnis Lampe auf. Sie beleuchtet Eckes Hände, durch die langsam das Seil gleitet.

Wir hören Shelleys Stimme hallen.

»Muss eine Superrutsche sein«, murmelt Ecke erregt.

Das Seil macht ihm keine Mühe, es gleitet mit wenig Zug. Ich beobachte die lockeren Schlingen auf dem Boden und suche im zuckenden Dämmerlicht nach dem Ende des Seils. Ich habe es! Hastig schaue ich mich nach einer Felsnase oder etwas Ähnlichem um, wo ich es befestigen kann. Nichts scheint geeignet. Da wickle ich mir das schwere, nasse Teil um die Mitte. So. Nun kann Ecke seiner Rutschenschwärmerei frönen, und wenn ihm das Ding durch die Hände flutscht, bin ich auch noch da.

Dass Shelley möglicherweise mit einem Ruck ins Seil fallen und mich mitreißen könnte, kommt mir flüchtig, aber ich befürchte es nicht wirklich: Shelley tut so etwas nicht, er passt auf. Das Seilende aber, das muss ich um jeden Preis sichern. Unter Bonnis anerkennendem Blick stemme ich Hände und Füße gegen die Wand. So. Und wenn ich die Höhle mit meinem Zittern zum Einsturz bringe.

Interessanterweise ist jedoch außer einem innerlichen Beben nichts zu bemerken. Martina Schlotterbein schlottert im Augenblick nicht. In einem Augenblick, der das Fürchten lehrt. Martina Schlüter macht die außerordentliche Erfahrung, dass sie offenbar nur dann schlottert, wenn sie sich Panik leisten kann.

Ich habe wenig Zeit, über diese absolut neue Seite an mir nachzudenken. Vielleicht ist es auch nur Zufall. Denn in Wirklichkeit bin ich fast besinnungslos vor Angst. Ich stemme mich ein und beobachte das Loch. Ecke arbeitet schweigend am Seil, Bonni leuchtet es an. Shelleys Rufe sind verstummt. Wie lange schon? Ich weiß es nicht.

Auf einmal erschlafft das Seil. Ecke peitscht damit den Höhlenboden, nichts verändert sich, es bleibt vollkommen locker. »Shelley?«

Als keine Antwort kommt, brüllt auch Bonni: »Shelley? Gib an! Sag was!«

»Sei doch still!«, herrscht ihn Ecke an. »Ich kann ja nichts hören!«

Der Hall seiner Worte verebbt und macht einem aufdringlichen Pochen Platz. Das ist mein Herzschlag. Die Angst drückt mir schier die Luft ab.

Auf einmal kommen Geräusche aus der Tiefe. Shelleys Stimme, die sich an den Wänden bricht. Was er ruft, ist nicht zu verstehen.

Bonni leistet sich einen Freudensprung, das Licht seiner Lampe hüpft. Ecke holt das schlappe Seil ein und wirft die Schlaufen hinter sich. Dann tanzt Shelleys Lichtschein um die Biegung und erlischt, kaum dass er Bonnis Licht begegnet ist. Ein Helm, zwei Arme, ein Körper, der sich heraufarbeitet, zwei Beine, die sich seitlich in die engen Wände stemmen. Ecke muss gar nicht ziehen, Shelley schafft es aus eigener Kraft. Er lässt sich schnaufend am Rand des Loches nieder und knüpft das Seil los.

»Und?«, will Ecke wissen.

»Wir können weiter. Ist gar nicht schwierig.«

Shelleys nähere Erläuterungen gehen in Bonnis Geheul unter.

Ich muss mich setzen. Meine Beine holen das Zittern nach. Das Seil um meine Taille wird mir erst bewusst, als Ecke daran zieht.

»Willst du dich abseilen lassen?«, fragt er.

Ich weiß nicht, was ich will. Im Moment habe ich keinen anderen Wunsch als den, dass Shelley hierbleiben soll. Meine Erleichterung seit seinem Wiederauftauchen ist unbeschreiblich.

Er gibt mir meine Lampe zurück und hängt sich sein defektes Gerät wieder um. »Bleib am Seil, Martina, wenn du willst, ich sichere dich«, sagt er. »Du kannst jederzeit mit den Beinen bremsen, die Wände sind eng genug dafür. Okay, wollen wir?« Er nickt mir lächelnd zu.

Aber Ecke und Bonni streiten sich noch, Bonni ist nicht bereit, seine Lampe herauszurücken.

»Also gut«, sagt Ecke, »dann musst du voran. Wenn du unten bist, leuchtest du, und ich komme angeschossen. Mann, das wird eine Fahrt!«

Bonni kann sich nicht entschließen. In seinem Gesicht findet ein stummer Kampf statt. Dann siegt sein Wille, die Lampe zu behalten, er macht sich sitzend an die Abfahrt. Eine Fahrt ist es eigentlich nicht, sondern

ein schrittweises Rutschen im Rhythmus seiner einge-
stemmten Beine.

»Mann, braucht der lang«, stöhnt Ecke.

Wir sehen Bonni um die Biegung verschwinden.
Und mit ihm das Licht. Ich knipse schnell meine
Lampe an.

Ecke macht sich bereit. Er grinst Shelley und mich
an. »Kann ich schon, was denkst du, Shelley? Freie
Fahrt?«

Shelley schüttelt den Kopf. »Warte, bis er unten ist.
Er wird sich schon melden. Und denk an deine wert-
vollen Teile. Die Bahn ist nicht immer glatt.«

»Danke für den Tipp, Alter. Bist ein echter Kumpel.«

Bonnis Rufe – was immer sie bedeuteten – sind noch
nicht verklungen, als Ecke sich abstößt. Mit einem lang
gezogenen Schrei fährt er hinunter und um die Biegung.

Shelley tauscht einen Blick mit mir. »Der spinnt
echt«, sagt er nachsichtig. »Bei Rutschen dreht der
durch.«

»Was findest du eigentlich an ihm?«

»Er ist mein Kumpel«, sagt Shelley verwundert.

Ich sehe ihn an. Wärme steigt mir ins Gesicht, trotz
der frostigen Höhlentemperatur. Ich möchte den Augenblick verlängern. »Seid ihr schon lange befreundet?«

»Wir haben uns vor einem guten Jahr beim Bungee-
Springen kennengelernt.«

»Beim Bungee-Springen?«

»Hm. Hast du das auch schon gemacht?«

Ich? Fassungslos schaue ich Shelley an. Er traut mir

zu, dass ich von einem Kran springe! Und ist gleichzeitig so nett, mich auf dieser vergleichsweise lächerlichen Rutsche zu sichern …

»Nein«, sage ich rasch, »ich kenne Bungee-Springen nur aus dem Fernsehen. Wie ist es?«

»Ach, gar nicht so toll. Zuerst musst du dir einen ziemlichen Schubs geben, und du tust es vielleicht nur, weil andere zuschauen. Aber dann ist es auch schon vorbei. Hat dich außerdem eine Menge Geld gekostet. Höhlen sind interessanter. Oder findest du nicht?«

Ich schlucke. »Sicher. Ja, doch.« Ich muss wegschauen, Shelley ist so nah. Er kniet nämlich vor mir auf den Seilschlingen und prüft meinen unfachmännischen Knoten. Wenn ich jetzt die Lampe ausknipse, haben wir's noch immer hell, garantiert, mein Feuerkopf leuchtet.

Da sehe ich, dass meine Haare, die Shelleys Helm streifen, gar nicht mehr leuchten können, sie sind braun und schwer.

Shelley schaut in dem Moment wieder auf und bemerkt meinen Blick und lacht leise, als ich entsetzt meine Haare anfasse. »Du hättest sie unter den Helm stecken sollen. So. Der Knoten ist gut. Du kannst los.«

Der verlängerte Augenblick ist vorbei. Ich habe ihn schlecht genützt. Statt nach Ecke hätte ich nach etwas anderem fragen sollen. Mich interessiert nämlich auf einmal brennend, ob Shelley eine Freundin hat. Immerhin traut er mir zu, dass ich von einem Kran springe. Meine Chancen stehen vermutlich nicht schlecht …
Die Leuchtpunkte in meinem Gesicht sind drauf und

dran, die Lehmschicht zu durchbrechen. Hastig wende ich mich der Rutsche zu. Ich setze mich und stemme die Beine gegen die Wände.

Halt.

Was ist mit Shelley, wenn ich mit meinem Licht verschwunden bin? Ein Meter trennt uns erst. Ich äuge ihn über die Schulter an. Von einem Kran springe ich nicht, niemals. Aber jetzt springe ich über meinen Schatten. Es heißt, das wäre unmöglich. Ich schlüpfe aus dem Riemen und reiche Shelley die Lampe.

»Sonst sitzt du hier im Dunkeln«, sage ich und spüre mein Herz klopfen. Der Schein fährt ihm übers Gesicht und ich nehme sein überraschtes Lächeln mit auf den Weg. Mein Beben ist kein klares Angstbeben mehr, es könnte auch von froher Aufregung kommen. Das Seil verbindet mich mit Shelleys Händen, und ich kann sicher sein, dass er es nicht loslässt. Ich kann, wenn ich will, sogar die Augen zumachen. Die schmierige Bahn unter mir ist kalt und glatt, ich rutsche. Die Wände rechts und links bieten den Füßen hinreichend Halt, aber als ich um die Biegung komme und Dunkelheit vorfinde, fährt mir doch der Schreck rein.

»Bonni!« Mein Schrei klingt schaurig und mischt sich mit Rufen von oben und unten. »Mach Licht!« Das Seil hinter mir ist straff. Ich taste mich voran. Meine Füße schlittern an den Wänden entlang, ehe sie etwas zum Einstemmen finden, und ohne das Seil würde ich in der Dunkelheit ins Trudeln kommen und abfahren. »Bonni! Ecke!«

Nach einer weiteren Biegung taucht Licht auf.

»Talfahrt! Schuss!«, ruft Ecke.

Ich sehe nichts, das Licht von unten blendet. Das straffe Seil lässt keine Talfahrt zu, Gott sei Dank.

»Mensch«, sagt Ecke, als ich bei ihm angelangt bin, »so macht's doch gar keinen Spaß!«

»Spaß genug«, gebe ich grimmig zurück.

Bonni meckert schon wieder, dass wir so langsam seien. Es kommt mir allmählich vor, als befände er sich in einem Wettlauf mit der Zeit – oder mit dem Schicksal. Er rechnet sich vielleicht aus, wie lange es gedauert hat, bis zwei Lampen ausfielen und wie viel Zeit uns für die anderen beiden bleibt. Ich kann das nachvollziehen, ich habe die Rechnung nämlich auch schon aufgemacht. Und wo stecken wir überhaupt? Das hier scheint gerade wieder eine zerklüftete Ausbuchtung des Schlauches zu sein, die uns aufrechtes Stehen erlaubt. Wie lange geht das noch weiter?

»Wo sind wir?«, wende ich mich an Ecke.

»In der Erde.«

So ein blöder Hund. Ich knirsche mit den Zähnen. »Wie weit vom Ausgang?«

»Ich bin kein Hellseher, liebe Martina.«

»Aber was denkst du, Ecke?«, hakt Bonni nach.

»Ich denke, dass man hier unten gar nichts sagen kann. Wir können's in zehn Minuten geschafft haben, wir können aber auch nach weiteren zehn Stunden umkehren müssen. Ist alles drin.«

»Und das gibt dir den Kick«, fauche ich.

»Genau. Hey, Martina, nun sei nicht sauer. Wir schaffen's schon. Ich bin nur echt kein Hellseher.«

Das ist mir klar; ich könnte ihm sagen, wofür ich ihn halte.

»Was das Ganze vielleicht ein wenig schwierig macht«, fährt er fort, »ist das Labyrinth.«

»Das Labyrinth?«, kreische ich.

»Hey, reg dich ab. Was heißt schon Labyrinth. Die ersten Typen hier drin haben sich vielleicht einmal verlaufen und schon heißt der Abschnitt Labyrinth.«

Ich glaube seinen Beschwichtigungen nicht. Und Bonni glaubt ihnen auch nicht, das sehe ich genau. Was es viel schlimmer macht. Denn er kennt seinen Bruder besser als ich.

Ecke will uns ablenken und zählt die irrsten Namen für Höhlenabschnitte auf: Echohalle, Wasserrohr, Mausefalle, Teufelsschlupf, Angströhre, Prüfungsschacht, Halsabschneiderloch, Höllenlabyrinth …

»Höllenlabyrinth?«

»Keine Panik, das ist in einer anderen Höhle. Die hier hat nur ein normales Labyrinth, haben die Leute gesagt, die uns den Tipp gegeben haben.«

Was, bitte, ist ein normales Labyrinth? Ich kenne ein Labyrinth nur aus den griechischen Sagen. Es gehörte König Minos von Kreta und das grässliche Ungeheuer Minotaurus hauste darin und ernährte sich von Jungfrauen und Jünglingen; je sieben von ihnen trieb man immer ins Labyrinth und keiner kehrte jemals zurück, das Ungeheuer hat sie alle gefunden und gefressen. Dann kam der Held Theseus und bot sich freiwillig als Opfer an. Aber nicht einmal ein Held hatte eine Chance im Labyrinth; Theseus' Glück war nur, dass sich die

Königstochter Ariadne in ihn verliebte und ihm ein Wollknäuel mitgab. Mithilfe des Fadens fand er aus dem Labyrinth, nachdem er seine Heldentat hinter sich gebracht und das Ungeheuer getötet hatte.

»Hast du auch von dem Labyrinth gewusst?«, frage ich Shelley scharf und ohne mich für seine Seilsicherung zu bedanken.

Er gibt mir die Lampe zurück. »Was meinst du?«

»Dass in dieser Scheißhöhle ein Labyrinth sein soll!« Ich drehe beinahe durch.

»Ach so. Aber das sagt doch gar nichts.« Er wickelt gemütlich sein Seil auf.

Ich werfe ihm mein Ende vor die Füße. »Vielleicht weißt du nicht, was ein Labyrinth ist?«

Shelley schaut mich erstaunt an. »Wenn es sich verzweigt und so?«

»Ja!«, schreie ich. »Hättet ihr nicht wenigstens einen Faden mitnehmen können?«

»Einen Faden?«

»Hihi.« Ecke hüpft vor Vergnügen. »Sie meint den Faden der Ariadne …«

»Welchen Faden?«, sagen Shelley und Bonni wie aus einem Mund.

»Vergesst es.« Ecke schenkt mir einen vertraulichen Blick.

Ich blitze ihn an. »Ja! Vergesst es! Ein Faden wäre jedenfalls hilfreich gewesen!« Ich schäume. Die größte Wut habe ich auf Ecke. Weil er die Labyrinthgeschichte kennt und keine Schnur mitgenommen hat. Man sollte ihn dem Minotaurus zum Fraß vorwerfen.

»Recht hast du«, sagt Ecke todernst. »Hänsel und Gretel hatten Brotkrumen mit, nicht? Aber die bösen Vögel haben das Brot aufgepickt und der böse Wald war so dicht und dann kam die böse Hexe oder wie war das?«

Ich starre ihn an. Den bringe ich noch um, ist mein einziger Gedanke. Wenn er es nicht vorher selber tut.

Ich wende mich ab.

Shelley ist mit seinem Seil fertig. »Hört zu streiten auf, wir können weiter«, sagt er.

8

Zweimal sind wir jetzt schon zur Rutsche zurückgekehrt. Wir wissen nicht, wie das zuging. Ecke gibt Bonni die Schuld. Weil Bonni mit seiner Lampe vorausgeht und weil er zu dämlich sei zu merken, wann es im Kreis ginge. Ecke ist inzwischen fuchsteufelswild. Dass er mit leeren Händen hinter einem *Idioten* hergehen soll, macht ihn *rasend*. Dass er nicht *frei* ist und dass er keine *Lampe* hat.

Bonni bleibt trotzig vorn. Wer eigentlich schuld daran sei, dass der liebe Ecke keine Lampe mehr habe, hä? Das sagt er jetzt nicht mehr. Er hat es oft genug in allen Variationen von sich gegeben. Eine weitere Bemerkung dieser Art würde ihn womöglich das Leben kosten. Er stolpert stumm voraus.

Ecke sagt alle Augenblicke: »Bleib stehen! Leuchte hierhin! Leuchte dorthin! Hier waren wir schon! Verdammt, kannst du mal mit dem Licht still halten?«

Meine Lampe ist für ihn tabu. Sie leuchtet abwechselnd nach vorn und nach hinten, damit auch Shelley etwas sieht. Ich habe Eckes Hände schon ein paarmal danach zucken sehen. Ich kann verstehen, dass es ihn verrückt macht, kein Licht zu haben, aber ich entferne meine Lampe immer rechtzeitig aus seiner Reichweite. Mein Selbsterhaltungstrieb funktioniert. Er ist gepaart mit einer wahnsinnigen Angst, dass uns das Licht ausgeht, ehe wir den Ausgang finden. In meiner Lampe sind jetzt die vier Batterien aus Eckes Lampe, die ihm ohne Birne ja nichts nützen. Das war ein kritischer Moment, als mein Licht verdimmerte. Ecke wollte sich sofort auf meine Birne stürzen. Aber Shelley griff ein. Er forderte, wir sollten mit der neueren Lampe weitergehen, und das sei eben meine, Alex habe sie erst vor zwei Tagen gekauft und sie sei sicher insgesamt besser in Schuss als Eckes alte Lampe, die schon einige Höhlen hinter sich habe. Shelley streckte so lange die Hand aus, bis Ecke seine Batterien hineinschmetterte.

Bonni hat auch die Batterien auswechseln müssen. Ich habe gesehen, wie seine Hände zitterten, als er vier Ersatzbatterien aus ihrer Verpackung würgte. Kann nicht sagen, dass mir das ein gutes Gefühl gegeben hätte. Jetzt stecken noch zwei Batterienpaare in Bonnis rechter Brusttasche, die linke ist leer.

Die verbrauchten Batterien sammelte Shelley ein. »Man hinterlässt keine Spuren in einer Höhle«, sagte er.

Bonni hat mürrisch genickt. Er sieht mit seinen Haaren aus wie ein zotteliger Wikinger, ihm fehlen nur zwei Hörner am Helm. Ich selbst sehe sicher nicht besser aus, meine eigene Mutter würde mich nicht erkennen.

Um nicht in Panik zu geraten, sammle ich heimlich Trostpunkte. Erstens ist der Minotaurus nur ein Fabelwesen, sage ich mir, und zweitens sind wir sowieso nicht auf Kreta. Drittens geht Shelley hinter mir. Manchmal berühren wir uns aus Versehen, manchmal grinsen wir uns an. Schön könnte das sein, wenn die Angst nicht wäre.

Kleinere Trostpunkte gibt es natürlich auch noch: Niemand ist verletzt. Niemand fällt vor Erschöpfung um. In letzter Zeit hat es wenig geregnet, die Gänge stehen nicht unter Wasser. Im Frühjahr nämlich, weiß ich von Shelley, konnte man die Höhle nicht begehen, sie soll überflutet gewesen sein. Er muss mich tatsächlich für mutig halten, sonst würde er mir solche Sachen doch nicht erzählen. Auch das ist ein Trost: dass ich meine krankhafte Feigheit anscheinend erfolgreich verbergen kann.

Ich brauche *viel* Trost. Sonst kann es nämlich passieren, dass zwei Schlabberbeine unter mir nachgeben und dass ich haltlos zu schreien anfange. Manchmal bin ich nahe daran.

Deshalb habe ich zu reden angefangen. Ich habe Shelley von Martin und Gitta erzählt, meinem Vater und meiner Mutter. Dass Martin Student war und Gitta Sportartikel verkaufte, als sie sich kennenlernten. Dass sie sich beim Freeclimbing kennenlernten. Damit hab ich angefangen: mit Freeclimbing. Weil das die Leute am meisten beeindruckt. Frei in der Felswand, ohne jede Sicherung. Winzige Vorsprünge nützend. Mit übernatürlichem Selbstvertrauen und totaler Unerschrockenheit. Martin und Gitta, meine Eltern.

Shelley hat es schon gewusst, von Bonni.

Zuerst war ich erstaunt, dann ist es mir wieder eingefallen: Als ich noch auf der Erde lebte, gestern Abend muss es wohl gewesen sein, habe ich vor Bonni damit angegeben; ich wollte akzeptiert werden als eine, die schon von ihrer Familiengeschichte her Mut und Sportsgeist gepachtet hat. Meine Rechnung ist aufgegangen.

Shelley hat mir von seinen Eltern erzählt, die träge sind und die ihm mit ihren ewigen Nörgeleien auf den Wecker gehen: Das sollst du nicht, das darfst du nicht, das ist zu gefährlich, das bringt nichts, das kostet nur unnötig Geld und so weiter. Deshalb habe er sich eine eigene Bude genommen, gleich nach seinem achtzehnten Geburtstag. Und mit dem Auto, das ein Freund ihm instand hält, sei er nun vollends unabhängig. Nur dass er jeden Cent umdrehen müsse, wirklich jeden, das nerve ihn manchmal. Aber das sei es wert. Zum Glück habe er noch eine Oma, die's gut mit ihm meine.

Dass Shelley so viel reden kann, wusste ich nicht. Ich habe dann, kühn geworden, mir ein Herz gefasst und die Frage gestellt, die mir schon lange auf der Zunge brannte: »Hast du eine Freundin?«

Ich sagte es nach hinten und musste die Augen gleich wieder vorn haben, um nicht über Geröllbrocken zu stürzen. Ich konnte sein Gesicht nicht sehen und er konnte meines nicht sehen. Auf die Antwort ließ er mich warten. Schließlich kam sie, ein wenig undeutlich.

»Kann ich mir nicht leisten.«

»Was? Wieso?«, sagte ich.

Wieder dauerte es. Dann sagte er ziemlich unwirsch: »Mädchen wollen immer ausgehen. Man muss ihnen etwas bieten.«

Darüber dachte ich nach. Auf manche traf das zu, da hatte er recht. Aber nicht auf alle. »Man teilt sich die Kosten, wenn man ausgeht«, sagte ich nüchtern. Wenn ich ausgehe, bezahle ich für mich selbst, das steht fest. Mal abgesehen davon, dass ich bisher keinen Spender gefunden habe. Zweimal war ich mit Mädchen in der Disco und einmal mit einem Typ aus der Neunten, von dem ich dachte, er wäre nett, aber er fing gleich zu fummeln an, sodass ich schon deshalb bezahlte, um ihm nichts schuldig zu sein.

»Es ist auch so«, sagte Shelley zögernd, »dass ich da nicht hinwill, wo die hinwollen. Ich weiß nicht, vielleicht bin ich ja nicht normal.« Bevor ich protestieren konnte, fügte er hinzu: »Und wo ich hinwill, da wollen die eben nicht hin. In Höhlen zum Beispiel.«

Ich drehte mich nicht um. Es wurde ihm von selbst bewusst, was er da gesagt hatte. »Eh – es gibt natürlich Ausnahmen«, nuschelte er.

»Danke«, sagte ich. Gut, dass er mein flammendes Gesicht nicht sehen konnte. Ich und höhlenbegeistert …

Wir haben danach nicht mehr über das Thema gesprochen. Es ist hier sowieso ziemlich schwierig, Small Talk zu machen. Weil die Stimme grässlich hallt. Weil Ecke und Bonni sich ständig streiten. Weil man furchtbar aufpassen muss, wenn man mit einer Lampe zwei Leute bedient. Weil das hier kein Gang ist, sondern eine mit Hindernissen gefüllte Katastrophe. Geröll, Wasserlöcher, Engpässe, Felsnasen, gegen die der Helm donnert.

Wie Ecke das macht, ist mir schleierhaft. Er rennt sich nie den Kopf an. Er ist eine Ratte.

Ob es hier vielleicht auch echte Ratten gibt? Bis jetzt sind wir zum Glück auf kein Lebewesen gestoßen, nicht mal auf das allerkleinste. Ratten huschen doch auf jeden Fall davon, wenn jemand kommt? Die Biologin in mir lacht: Was sollte eine Ratte hier suchen – hier findet sie keine Nahrung. Hier gibt's nur totes Gestein und Lehmbrühe. Mag sein, im Frühjahr, als die Höhle überflutet war, dass da allerhand eingeschwemmt wurde …

Das will ich mir lieber nicht ausmalen, und ich hoffe, es bleibt mir erspart, einer Ratte zu begegnen. Wir haben Oktober, den letzten Sonntag im Oktober, es hat lange nicht geregnet, seit dem Frühling ist ein halbes Jahr vergangen, falls hier tatsächlich Ratten waren, so sind sie längst verschwunden. Oder doch nicht?

Ich bin jetzt für jede Ablenkung dankbar. Sogar dafür, dass Bonni abrupt stehen bleibt und mit ihm Ecke.

»Was ist?«, will Shelley wissen.

»Hier geht's nicht weiter«, sagt Bonni leicht panisch.

»Quatsch«, widerspricht Ecke, »es geht immer weiter.«

Darauf hat Bonni nur gewartet, die kleinste Bemerkung seines Bruders bringt ihn jetzt bereits zum Explodieren. »Ja, du Höhlengenie? Und wo?«, kreischt er.

Er ist anders als der Bonni, den ich kennengelernt habe; der war ein cooler Höhlenexperte, ein lässiger Kumpel von wesentlich älteren Jungs.

Welcher von den beiden ist eigentlich echt?

Ich schaue ihn an und mir dämmert etwas: Der echte Bonni steht vor mir und hat Schiss bis zum Gehtnichtmehr. Ich sehe, wie der Strahl seiner Lampe über die Decke und über die Wände zittert, auf der verzweifelten Suche nach einem Ausweg. Ich höre ihn stöhnen. Und jetzt schreit er wie am Spieß, weil Ecke ihm die Lampe gewaltsam entreißt.

»Du kriegst sie wieder, sobald ich den Schlupf habe.« Eckes Stimme ist zum Fürchten.

Ich bin nahe daran, mich an Shelley zu lehnen. Mir ist plötzlich so schwindlig, dass ich nicht weiß, ob ich nicht gleich umfallen werde. Vorsichtig lasse ich mich auf den Boden sinken.

»Kannst du nicht mehr?«, flüstert Shelley erschrocken.

Das ist die Frage. Jetzt wo er es ausgesprochen hat, weiß ich es: Ich kann nicht mehr. Ich lasse den Kopf hängen und gebe keine Antwort.

Shelley kniet sich zu mir nieder. »Martina?« Er packt meine Schultern und schüttelt mich. »Martina, was ist los?«

»Mir ist total schwindlig«, bringe ich heraus.

Gleichzeitig höre ich, dass Ecke sagt: »Hier geht's weiter.«

Shelley hebt meinen Kopf. »Martina, du hast ja nichts als einen Riegel Schokolade im Bauch, kein Wunder! Da bricht ja ein Pferd zusammen!«

Ein Pferd, denkt die Biologin in mir, hätte das nicht gemacht, was ich gemacht habe. Jedenfalls nicht freiwillig. Außerdem muss ein Pferd den ganzen Tag fressen, ich glaube, ich bin stärker als ein Pferd. Aber da ist noch eine Stimme in mir, und die sagt: Ich lasse mich jetzt in seinen Arm fallen …

Ich lächle verzerrt. »Das muss es sein, ich habe nichts im Bauch.«

Shelley macht mir den lehmverklebten Reißverschluss der Brusttasche auf. Ich werde schier ohnmächtig davon, elektrische Ströme fahren mir durch den Leib. Ich wünsche mir einen anderen Ort und Licht und Luft und – Shelley soll da sein …

Stattdessen esse ich gehorsam mit Lehm vermischte Schokolade. Und trage Monsterklamotten. Und habe den Liebreiz eines Wikingers.

Ecke hat etwas von Schokolade gehört. »Hey, ja, wo bleibt die Ration?«

Ich halte ihm die restliche Tafel hin, die zerbrochen im Papier auf meiner Handfläche liegt.

Aber Shelley wirft sich schützend darüber. Ich höre ihn mit Ecke flüstern: »Sie muss uns durchhalten, klar?«

Ecke mault.

»Sie hat das Frühstück ausgekotzt, klar?«

Ich komme auf die Beine. »Ihr könnt den Rest haben. Es geht wieder.« Ich bin ja so tapfer, ich bin die größte Heuchlerin, die je in der Erde steckte.

»Shelley soll auch etwas kriegen«, verlange ich, ehe Bonni und Ecke alles niedergemacht haben.

Shelley schüttelt den Kopf. Er grinst mich an. In diesem Moment weiß ich etwas – ich liebe ihn.

Liebe ist das, was mein Vater und meine Mutter hatten. Etwas Großes, Überwältigendes, Einmaliges. Immer wenn ich bisher das Wort Liebe dachte, fielen mir nur Gitta und Martin ein. Und ein paar Glückliche in Büchern. Nie fielen mir dazu Leute meines Alters und meiner Umgebung ein. Für mich selbst habe ich allerdings davon geträumt ...

Doch soll ich nun vielleicht meine erste Liebe gleich mit dem Leben bezahlen? Wo wäre da der Sinn? Wenn es überhaupt einen Sinn gibt, dann bin ich jedenfalls nicht durch Zufall hier, dann hat es etwas zu bedeuten.

Das alles schießt mir durch den Kopf, während Shelley mit einem Rundblick die Höhle mustert.

»Martina, kann ich mal?«, sagt er und greift nach meiner Lampe.

Ich überlasse sie ihm.

Er leuchtet jeden Winkel aus. Das Ergebnis ist niederschmetternd: Es gibt nur den Gang, aus dem wir gekommen sind, oder einen schmalen, hohen Wassertunnel gegenüber.

Wir starren zu dem Loch am Ende des Tunnels hinauf, das uns schwarz und feindselig anglotzt, ein Schlitz wie ein bösartig zugekniffenes Auge. Die Wände des Tunnels sind glatt, der Boden ist eine nicht begehbare Senke. Der Stein, den Shelley ins Wasser wirft, wird mit einem unheimlichen Glucksen geschluckt.

Also, da hinein kann niemand.

Ecke sagt: »Was habt ihr denn mit dem Wasserloch, das interessiert doch gar nicht. Gib mir die Lampe, Bonni.«

»Nein«, sagt Bonni.

»Mann! Ich prüfe das Schlitzauge! Oder willst du es tun?«

»Wie kommt er denn da hin?«, flüstere ich Shelley zu. »Er ist doch keine Fledermaus!«

Bonni quiekt auf.

Ecke grinst dünn. »Wenn du keinen Horrorfilm erträgst, Brüderchen, solltest du ihn dir auch nicht reinziehen.«

»Du hättest ihn ja nicht mitbringen müssen«, faucht Bonni. Er dreht sich zu mir um. »Echte Fledermäuse in Nahaufnahme sind das Gräulichste, was dir bei Nacht und Nebel begegnen kann!«

Wir lachen. So lachen sie vielleicht in einer Totengruft. Um Mitternacht, wenn sich die Särge öffnen.

»Also«, sagt Ecke, »du oder ich?«

»Du«, knirscht Bonni. »Aber wenn dir die Lampe abstürzt, ersäufe ich dich auch.«

»Gott, hab ich Angst«, sagt Ecke und hängt sich die Lampe um, und ich sehe, dass er vorsichtig ist dabei.

Shelley spendet ihm Licht, als er in den Tunnel steigt. Ecke presst den Rücken an die eine Wand und die Füße an die andere. Zentimeter um Zentimeter schiebt er sich voran, unter sich das schwarze Wasser. Mir wird klar, dass das die einzige Möglichkeit ist. Ich gehe davon aus, dass sie viel Kraft erfordert. Von Mut gar nicht zu reden. Beides habe ich nicht.

Sie werden mich hier zurücklassen müssen.

Ich weiß nicht, wie ich es fertigbringe, auf meinen Beinen stehen zu bleiben und Eckes Vorankommen scheinbar gespannt zu verfolgen, während sich in mir alles vor Angst zusammenzieht. Ich sehe Shelleys vorgereckten Kopf und seine aufmerksamen Augen, die jede Bewegung im Tunnel mitmachen.

Dann ist Ecke angekommen. Er leuchtet in das Loch hinein. Seine Stimme klingt hohl. »Es ist ein Kamin. Aber unten geht's weiter!«

»Gut«, sagt Shelley. »Komm zurück.«

»Wozu?« Ecke zwängt schon ein Bein in den Spalt.

»Ich will mit dir darüber reden, ob wir nicht doch besser umkehren!«, ruft Shelley und vermeidet es, mich anzusehen.

Ich erschrecke noch mehr. Den ganzen Weg zurück, mit allen Möglichkeiten, sich neu zu verirren – o nein. Aber der Wassertunnel und dieses Schlitzauge …

»Meine Lampe!«, schreit Bonni.

»Komm rüber, dann kannst du sie haben!« Ecke schiebt sich mühsam mit den Füßen voraus in den Spalt.

»Ecke!«, ruft Shelley.

Aber von Ecke sind nur noch Kopf und Arme zu sehen. Und die Lampe, die am Gurt um seinen Hals in zwei Metern Höhe über dem Wasser baumelt. Bonni brüllt verzweifelt, dass Ecke auf die Lampe aufpassen soll.

»Was denkst du, was ich tu?« Damit holt Ecke vorsichtig Bonnis Lampe auf die andere Seite der Öffnung.

»Ihr könnt kommen, ich steige ab!« Sein Kopf und der rechte Arm verschwinden zuletzt.

Ich bin wie gelähmt. Ich will etwas sagen, aber es kommt nichts heraus.

Shelley beißt sich auf die Lippe und schaut mich besorgt an.

»Dein Seil, Shelley …«, beginnt Bonni.

»Ja«, sagt Shelley und schaut sich suchend danach um, das schmierige braune Paket ist von den lehmigen Steinen kaum zu unterscheiden. »Nimm ein Ende mit und sichere dann Martina von drüben.«

»Aber wer sichert mich?«, will Bonni wissen.

»Niemand. Es sei denn, Ecke kommt zurück.«

Bonni schaut hinüber. Von seinem Bruder keine Spur.

»Ach was, ich probier's.« Damit stemmt er sich schon in die Tunnelwände. »Es geht, Martina, das kannst du auch!«, verkündet er.

»Nein!«, rufe ich in Panik. »Nimm das Seil mit!«

»Das Seil behindert nur!« Bonni schiebt sich weiter.

»Im Team denkt man auch an die anderen!«, sagt Shelley scharf.

»Es geht wirklich! Hat schlimmer ausgesehen!«

»Ich könnte ihm das Licht abschalten«, murmelt Shelley.

Zum ersten Mal klingt er wirklich böse, aber er tut es natürlich nicht. So ist Shelley. »Lass ihn«, sagt er. »Ich mache das mit dem Seil nachher selbst.« Er drückt meine Schulter und lässt seine Hand für einen Moment darauf liegen.

Ich bin high. Vor Angst – und Liebe.

9

Und plötzlich überschlagen sich die Ereignisse. Bonni, der sich in den Schlitz gequält hat, setzt zu einem Triumphgeheul an und rutscht in dem Moment im Kamin ab. Sein Kopf knallt gegen den oberen Rand des Schlitzauges, eine Felsnase am unteren Rand reißt ihm die Brusttasche auf, die Batteriepäckchen klatschen ins Wasser und tauchen ab, der Helm schlägt aufs Wasser, aus dem Siegesschrei wird ein Schreckensgebrüll, das nach unten fährt und von dort schaurig und unendlich durch den Kamin herauf und durch das Schlitzauge heraus zu uns dringt.

Das alles dauert nicht länger, als zwei Menschen brauchen, um sich entsetzt anzuschauen, und als eine Hand braucht, um sich in einen Arm zu krallen. Der lang gezogene Schrei klingt, als führe Bonni in einem Zug hinab zum Erdmittelpunkt, und in mir ist nur ein Gedanke: Wenn der Schrei aufhört, ist Bonni tot.

Shelley ist auf dem Sprung, seinem gehetzten Blick nach ist er schon so gut wie drüben. Da greife ich noch fester zu, ich klammere mich an ihn und bringe ihn schier zu Fall. Er kommt zu sich und prescht nicht davon. Er schaut mich an und legt wortlos die Arme um mich – meine Angst hat Vorrang.

Als das Schreien in ein Gewimmer übergeht und wir

endlich auch Eckes Stimme vernehmen, atmet Shelley tief ein. »O Mann, o Mann«, murmelt er.

Ich flüstere zurück: »Er lebt noch, ich höre ihn.«

Dann lauschen wir angespannt, und Shelley beginnt, mich zu wiegen, vielleicht ohne es zu merken. Meine Angst geht davon nicht weg, aber sie ist plötzlich wie in Watte gelagert. Ich schließe die Augen und fühle an Shelleys Hals seinen Herzschlag. Unsere Helme klackern mit einem hohlen Laut zusammen.

Ich flüstere: »Ich hab so eine wahnsinnige Angst.«

Noch nie zuvor habe ich meine Angst zugegeben. Sondern habe Ausreden gebraucht, bin zum Angriff übergegangen, wurde heftig bis ausfallend, gab allem anderen die Schuld, nur nicht meiner angeborenen Feigheit. Ich bemühte die Vernunft und berief mich auf meinen gesunden Menschenverstand, der mir angeblich dies und das einflüsterte, und gegen manche Mutbeweise hat es immer wunderbare Argumente gegeben. Skifahren zerstört die Berge, Fliegen die Ozonschicht, solche Dinge. In Wirklichkeit habe ich nur einfach Angst, auf zwei blöden Brettern einen Hang hinunterzufahren. Oder den Boden zu verlassen und machtlos in einem Flieger zu sitzen. Aber wenn man von Eltern abstammt, die die Tollkühnheit gepachtet haben, gibt man das nicht gern zu; und so hat kein Mensch jemals erfahren, wie es in mir drin wirklich aussieht und wie groß das Ausmaß meiner Feigheit ist.

Aber jetzt habe ich es gesagt. Wenn auch sehr leise. Ich weiß nicht, ob Shelley mein Geständnis gehört hat.

Der Druck seiner Arme wird eine Spur stärker. Das ist alles.

Wie unter Zwang flüstere ich: »Eine Schande, dass ich so feige bin ...«

Sekundenlang sind da nur die vermischten Stimmen von Bonni und Ecke, die zu uns dringen, ohne dass wir aber ein Wort verstehen könnten.

»Ich denke, dass du sehr mutig bist. Und übrigens habe ich auch Angst. Das ist doch normal«, murmelt Shelley.

Ich stemme mich aus seiner Umarmung, um ihn ungläubig anzuschauen. »Nicht dein Ernst?«

Shelley und Angst – nie im Leben! Er nicht und der verrückte Ecke auch nicht. Nur Bonni, ihm habe ich die nackte Angst angesehen.

»Doch. Und ich mache mir Vorwürfe, weil wir dich mitgenommen haben.«

Ich starre ihn an. Bonnis und Eckes Stimmen sind nur noch eine entfernte Geräuschkulisse für das, was hier passiert, zwischen Shelley und mir, als unsere Augen sich treffen und nicht mehr voneinander lassen wollen. Mein Herz hämmert, meine Knie werden weich, Shelley sieht mich an, er lächelt und wird wieder ernst und dann – küssen wir uns. Mit ganz schiefen Köpfen wegen der Helme. Ich schmecke Lehm. Meine Lippen sind kalt und spröde. Aber nicht lange. Shelley saugt sich an mir fest und ich mich an ihm, wir taumeln gegen die Wand, meine Lampe klirrt, geht aber nicht aus. Mein Helm verrutscht, der Kinnriemen schneidet ein, egal. Wir hören nicht auf, uns zu küssen.

Im Kamin brüllt Ecke nach Shelley, sein Kopf erscheint im Schlitzauge. Nicht dass ich das sehen könnte, meine Augen sind geschlossen. Ich höre es nur am Klang seiner Stimme. »Was macht ihr zwei da? Seid ihr durchgeknallt? Shelley, lass sofort die Frau los, ich brauche dich! Bonni hat sich den Knöchel gebrochen!«

Shelley und ich lösen uns voneinander. Ich komme zu mir wie von weit her. Shelley streichelt mit seinen Daumen meine schmutzigen Wangen. »Martina …«, flüstert er. »Alles okay? Wir schaffen es. Aber wir müssen weiter.« Er lässt Ecke in seinem Rücken brüllen und redet sanft auf mich ein. Er sagt mir, dass wir nicht zurückkönnen. Mit dem verletzten Bonni gäbe es nur noch ein Voran und vielleicht seien wir ja schon kurz vor dem Ausgang. Aber jetzt müsse ich hinüber. Ich schaffe das. Er ließe mich nicht allein. Er und Ecke würden mich am Seil sichern, ich würde garantiert nicht ins Wasser stürzen. Ich solle nun keine Angst mehr haben. Er redet sanft, aber auch beschwörend, als sei er sich nicht sicher, ob ich seine Worte überhaupt verstehe.

Sie weben ein seidenes Netz um mich, das mich hält.

Dann kehrt mit Übermacht die Angst zurück. Denn Shelley lässt mich los und redet mit Ecke. Ein unkontrollierbares Zittern befällt mich. Und ein Drang, gegen den ich schon seit einer Weile ankämpfe.

»Ich mach mir in die Hose.« Meine Zähne klappern. »Hey, ich mach mir in die Hose!«

»Ich muss auch«, sagt Shelley ganz selbstverständlich. »Geh du zuerst, Martina. Ich leuchte nach hinten und drehe mich nicht um.«

Es ist mit dem Overall unglaublich schwierig. Ich bin mir auch nicht sicher, ob ich mir die Klamotten nicht irgendwie bepinkle, aber was spielt das für eine Rolle, so schmutzig, wie die schon sind. Es ist kein Paar sauberer Hände in der Höhle, das mir die Hose hochziehen und das Hemd hineinstopfen und den Pulli ordnen könnte. Beim Reißverschluss des Overalls muss Shelley mir allerdings helfen. Und das alles macht mir plötzlich nichts mehr aus. Seit ich über meinen Schatten gesprungen bin – zum zweiten Mal an diesem Tag und auf ganz andere Weise als beim ersten Mal –, seit ich meine Angst zugegeben habe, bin ich frei, als hätte ich einen Kokon von mir gesprengt. Ich mache mir schier in die Hose, ich zittere und klappere mit den Zähnen und bin der neuen Freiheit schutzlos ausgeliefert. Der Freiheit, zu meiner Angst zu stehen und zu tun, was nötig ist.

Shelley steigt in den Tunnel und stemmt sich hinüber, auf dem Wasser unter ihm schwimmt Bonnis Helm; er führt das Ende vom Seil mit und reicht es Ecke, der damit im Kamin verschwindet. Meine Füße kleben fest, während ich Shelley angstvoll beobachte. Er kehrt zu mir zurück. In einem komplizierten Knoten- und Schlingenwerk befestigt er das Seil um meinen Bauch und meine Beine und wickelt sich den Rest um den Arm. Er knurrt dabei wütend vor sich hin, dass er ein Idiot sei, weil er seinen Sitzgurt und seine Steigklemmen nicht mitgenommen habe.

Er küsst mich nicht mehr, ehe er mich in den Tunnel schickt, jetzt drängt die Zeit. Er hält das Seil fest. Ecke zieht am anderen Ende, während ich mich durch den Tunnel stemme, verzweifelt darauf bedacht, nicht abzurutschen und mit meinem ganzen Gewicht ins Seil zu fallen.

Ich schaffe es. Ich weiß nicht, ob ich es ohne Seilsicherung könnte, vermutlich würde ich allerspätestens am Schlitzauge abstürzen. Ecke zieht von drinnen, Shelley dirigiert mich von draußen, und dann bin ich glücklich im Kamin, wo Ecke mir beim Absteigen hilft.

Er richtet den Lichtkegel wortlos auf ein Jammerbild und klettert wieder hoch, um für Shelley zu leuchten. Bonni sitzt mit verzerrtem Gesicht am Boden und hat Schuh und Socke ausgezogen. Wenig später stehen wir zu dritt gebückt um ihn herum. Shelley, der gefragt hat, woher Ecke die Gewissheit nähme, dass der Knöchel gebrochen sei, verlangt keine Antwort mehr. Der Fuß ist bereits unförmig dick und hängt auf eine Weise an Bonni, die jedem deutlich macht, dass dieses Ding nicht mehr zu gebrauchen ist.

Wir lassen uns erschöpft nieder und knipsen die Lampen aus, um unsere Batterien zu schonen. Ecke hat Bonni im Arm. Shelley und ich sind getrennt, weil es kein weiteres Fleckchen gibt, wo zwei dicht nebeneinandersitzen könnten. In den Bodenvertiefungen lagert dicke Lehmpampe. Der Gang ist auch zu niedrig für aufrechtes Stehen.

Ich strecke meine Hand nach Shelley aus und er ergreift sie. Die Dunkelheit umgibt uns dicht und drohend; zusammen mit der dumpfen Luft nimmt sie mir den Atem. Shelley schließt seine Finger fest um meine Hand und schickt warme Impulse aus. Mehr Trost gibt es nicht. Ich richte mich innerlich auf eine lange Wartezeit ein. Es kommt mir vor, als sei ich schon seit Tagen und Nächten in diesem lichtlosen, bedrückenden Gewirr von Röhren und Räumen unterwegs und als hieße es nun ausharren, bis etwas oder jemand mich und die anderen durch ein Wunder an die Erdoberfläche bringen wird. Denn es ist nicht möglich, Bonni zu transportieren. Nicht ohne Hilfsmittel. Nicht ohne genügend Licht. Und ohne Männer, die sich beim Tragen abwechseln können. Und vor allem nicht ohne Kenntnis des Ausgangs. Ein umständliches Hervorkramen von Eckes Uhr zeigt, dass wir uns seit neun Stunden unter der Erde befinden. Der Sonntag, ein Sonnensonntag im Oktoberbunt, hat draußen stattgefunden, hat von Sonnenaufgang bis Sonnenuntergang aus vielen leuchtenden Stunden bestanden, die nun vorüber sind.

Darüber scheinen wir alle nachzudenken und man hört nur unsere Atemzüge.

»Ecke?« Shelley räuspert sich.

»Hm?«, kommt es heiser aus der Dunkelheit. Ecke ist kein Bohrkopf mehr, der mit Eigenantrieb durch die Erde schießt. Ich glaube, seine Verwandlung ist das, was Bonni am meisten ängstigt, sodass er sich nicht einmal mehr zu wimmern traut.

»Wir müssen den Ausgang suchen und Hilfe holen.«

»Nein!«, schreit Bonni. »Ihr geht nicht weg! Alex weiß, wo wir sind. Er verständigt die Höhlenrettung!«

»Ja«, sagt Ecke. »Das ist das Einzige, was man tun kann, also wird er es tun.«

Shelley wartet, bis der Hall ihrer Stimmen verklungen ist. Dann sagt er langsam: »Fragt sich nur, wann.«

»Spätestens jetzt«, stößt Bonni hervor. »Unser Plan war doch, nach der Höhlentour am Abend heimzufah…«

»Jawohl«, fällt Ecke ihm ins Wort. »Außerdem hab ich sowieso gedacht, dass wir am Nachmittag wieder draußen sind.«

»Das hast du Alex aber nicht gesagt«, meint Shelley.

»Der war heute Morgen doch gar nicht ansprechbar!«, verteidigt sich Ecke.

Shelley holt Luft für etwas Unangenehmes. »Aber gestern Abend, ehe er dicht gemacht hat und nur noch auf der Tischplatte lag, hast du ihm vorgeschlagen, er soll *übermorgen* die Höhlenrettung verständigen, falls wir bis dahin nicht zurück sind.«

»Hey«, ruft Ecke, »der nimmt das doch nicht wörtlich, oder?«

Darüber denkt Shelley nach. Dann sagt er bedächtig: »Ich glaube schon. Der unternimmt frühestens morgen etwas. Er weiß, dass wir schon einmal vierundzwanzig Stunden in einer Höhle waren. Er hat heute bis Mittag gepennt und ist am Nachmittag ein wenig mit meinem Auto unterwegs gewesen und jetzt sitzt er wahrscheinlich in der Gaststube und wartet. Und wenn wir nicht kommen, bestellt er sich noch ein Bier. Und dann noch eins. Und dann noch ...«

»Hör auf!«, schreit Bonni.

Ecke erwacht zu neuem Leben. »Wir müssen los«, sagt er.

Ich lasse mich zum ersten Mal vernehmen. »Vielleicht hat Carsten Siebert etwas unternommen.« Darauf hoffe ich, seit ich mir ausgerechnet habe, dass der Zeitpunkt, zu dem Carsten den Bus bestellt hat, bereits vorüber ist. Ein Jugendleiter muss doch dafür sorgen, dass alle Leute an Bord sind, sage ich mir, das ist seine heilige Pflicht. Oder etwa nicht?

»Wer?«, fragt Shelley.

Ich erinnere ihn daran, dass er selbst vor meinem Jugendleiter gestanden und für mich um Erlaubnis gebeten hat. Danach scheint mir sein Händedruck zuversichtlicher zu sein. Aber es dauert nicht lange, bis ihm einfällt, dass wir Alex vor Carsten Siebert gewarnt haben – er solle sich vor ihm nicht blicken lassen, damit Carsten nicht stutzig werden und nach mir fragen könne.

»Sie sind sich vielleicht trotzdem über den Weg gelaufen«, murmle ich.

»Oder dieser Carsten hat sich einfach bei der Wirtin erkundigt«, sagt Ecke.

»Natürlich. Logisch.« Shelley seufzt erleichtert. »Als mir die Wirtin den Tee kochte und die Brote schmierte, habe ich ihr gesagt, dass wir wieder eine Höhlentour machen wollen ... Aber ... von dir hab ich ihr nichts gesagt, Martina ...«

Schon ist es vorbei mit der Erleichterung. Das Ende vom Lied ist, dass wir gar nichts wissen. Wir wissen nicht, ob Alex noch heute etwas unternehmen wird. Wir wissen nicht, ob Carsten ihn gesehen und sich an ihn gewandt hat. Wir wissen nicht, ob die Wirtin, nach mir befragt, eine Brücke zu den Höhlenmenschen geschlagen hat oder schlagen wird. Carsten, der schließlich nicht nur für mich, sondern für die ganze Gruppe verantwortlich ist, kann durchaus weggefahren sein – höchst beunruhigt und nach Hinterlegen seiner Telefonnummer und seiner Adresse. Zwei Stunden dauert die Heimfahrt und dann ruft er sofort an, erfährt nichts Neues und – geht zu meiner Mutter. Er hat doch hoffentlich meine Adresse? Kevin hat sie auf jeden Fall. Und wie wird meine Mutter reagieren?

Wir ergehen uns in Vermutungen und Befürchtungen und Hoffnungen. Ecke sagt, es ist vielleicht der größte Glückstreffer, dass sie mich auf die Tour mitgenommen haben, denn ich werde *vermisst!* Was man von allen anderen nicht behaupten kann. Alex taucht öfter mal zu Hause oder an seiner Arbeitsstelle nicht pünktlich auf, Shelley lebt sowieso allein, und in seinem Betrieb wird keiner etwas unternehmen, wenn er Montag früh nicht auf der Matte steht. Ecke und sein Bruder haben Herbstferien wie ich und sind ohne genaue Zeitangabe von zu Hause weggefahren. Ihre Eltern werden sich also überhaupt nichts denken.

Bei der Erwähnung seiner Eltern bebt Eckes Stimme. Da dämmert mir, was mit ihm los ist: Er fürchtet sich vor dem, was ihn erwartet; alle Vorwürfe werden ihn treffen, nicht den jüngeren Bruder. Er tut mir jetzt leid. Ich möchte nicht in seiner Haut stecken. Gleichzeitig hasse ich ihn nach wie vor. Denn ihm verdanken wir, dass wir hilflos hier sitzen.

Shelley hat keine Schuld, oder? Ich drücke stumm seine Hand. Er entzieht sie mir aber bald, um wieder im Dunkeln an seinem defekten Scheinwerfer herumzumachen. Er erreicht es schließlich, dass die Lampe glüht; sie tut das zwar nur, wenn sie still auf einem Felsvorsprung steht, aber wir haben Licht, ohne auf die Notreserven unserer beiden Lampen zurückgreifen zu müssen. Geschenktes Licht, denn mit Shelleys Lampe hat keiner mehr gerechnet.

Und jetzt sagt Shelley, dass wir weitergehen werden, um den Ausgang zu suchen und Hilfe für Bonni zu holen.

Ich stehe sofort auf und Ecke auch.

Bonni fängt zu schreien an.

Ecke und Shelley versuchen, ihm klarzumachen, dass er rasche Hilfe braucht. Dass wir keine Ahnung haben, wann uns jemand finden wird. Eine gefährliche Unterkühlung sei das Mindeste, was er sich holen würde. Aber es hilft nichts. Bonni schreit, dass es uns durch Mark und Bein geht.

Ecke und Shelley schauen sich an. Dann wenden sie sich mir zu. Als ich begreife, was sie von mir wollen, wird mir schwarz vor den Augen. Ich klammere mich an Shelleys Arm. »Nein, ihr lasst mich nicht hier zurück!«

10

Bonni schreit nicht mehr. Er liegt in meinem Arm und wimmert manchmal leise. Ich habe eine Zeit lang mitgestöhnt, aus Verzweiflung und Verlassenheit und Todesangst. Inzwischen bin ich still geworden. Die Kälte der nassen Steine ist mir bis uns Herz gekrochen. Ich denke jetzt an meinen Vater. Zuerst habe ich nur an mich gedacht und an meine Angst und an Shelley. Aber seit ich die Kälte so stark spüre, ist Martin da. Ich habe meinen Vater ja nie gesehen und sollte ihn deshalb auch nicht vermissen, ich meine, es sollte nicht wehtun, an ihn zu denken. Nicht so weh jedenfalls wie die Vorstellung, dass meine Mutter plötzlich aus meinem Leben verschwinden könnte. Oder ich aus ihrem …

Wie kann ich ihr das nur antun! Ich kriege einen Kloß in den Hals, und wenn ich mich jetzt nicht zusammenreiße, fange ich auch noch zu heulen an. Meine arme Mutter. Sie hat schon genug mitgemacht, sie hat um Martin geweint … Ich kann gar nichts dagegen tun, dass mir jetzt die Tränen übers Gesicht laufen, ich will auch nichts dagegen tun, ich halte Bonni fest und schniefe und denke an meine Eltern. Martin ist zur Zeit ihres intensivsten Glücks ums Leben gekommen. Er war an einem Wochenende ohne Gitta mit Freunden in die Berge gefahren. Sie wäre mitgekommen, aber Skifahren im achten Monat – das war dann doch zu riskant. Martin trennte sich von der Gruppe und verließ die ausgewiesene Piste. Als er am Abend nicht zurückkehrte, veranstaltete man eine Suchaktion. Über Nacht fiel Neuschnee und deckte seine Spuren zu. Mein Vater ist mit an Sicherheit grenzender Wahrscheinlichkeit in einer Gletscherspalte gestorben. Er war fünfundzwanzig Jahre alt. Man hat seine Leiche nicht gefunden.

Ich weine leise vor mich hin. Noch nie war mir mein Vater so gegenwärtig wie jetzt. Ich kenne ihn aus seinen Studienunterlagen, das Vertrauteste ist seine Schrift, denn ich habe alles gelesen, was er hinterlassen hat; ich habe seine Fotos angeschaut, auf den meisten lacht er. Er war so lebendig. Aber jetzt denke ich an seine Todesstunde. Ich weiß nicht, ob ihn der Sturz getötet hat oder ob er nur verletzt war und eingeschlossen im Eis langsam erfrieren musste. Mein Vater. Und meine Mutter hat ihn grenzenlos geliebt. Ich weiß das, und ich glaube, sie sucht ihn in mir, sie will, dass ich werde, wie er war. Sie hat durchaus Freunde, und manchmal ist es auch mehr als Freundschaft, aber noch nie ist einer bei uns eingezogen und nie hat sie Martins Urkunden, Trophäen und Fotos weggeschafft, für keinen einzigen Freund. Seine Pullis hat sie behalten und viele andere persönliche Dinge auch. Nur mit den Sachen aus seinem Studium konnte sie nichts anfangen, sie ließ sie aber immerhin zehn Jahre in ihrem Schrank liegen. Im Wohnzimmer haben wir eine Pinnwand, in der Mitte ist ein Herz, in dem *Martin und Gitta* steht, darum herum stecken lauter Fotos, auf denen man sie beide sieht. Er soll sich geradezu irrsinnig auf mich gefreut haben, mein Vater. Als ich noch klein war, hat meine Mutter einmal gesagt: »Dein Papa ist im Eis. Wenn der Gletscher abtaut, kommt er heraus, so jung und schön, wie er war. Nur eben tot.« Danach hörte ich sie lange weinen.

Jetzt fühle ich mich ihm sehr nah. Es ist eine Nähe, die meinen Herzschlag beschleunigt: *So* nah, auf diese Weise nah, will ich ihm aber nicht sein! Ich will nicht sterben!

Mein Weinen stoppt. Kälte und Entsetzen kriechen mir vom Rücken her in den Körper. Ein neuer Panikschub. Ich muss etwas dagegen tun, sonst drehe ich durch wie Bonni. Ich schiebe Bonni ein wenig zur Seite, atme tief und horche.

Nichts. Kein Suchtrupp im Anmarsch. Von Ecke und Shelley ist schon lange nichts mehr zu hören. Als ihre Stimmen und Schritte sich entfernten, war keine größere Verlassenheit denkbar. Sie sind gegangen, weil sie gehen mussten. Und ich blieb, weil Bonni sonst verrückt geworden wäre. Sie nahmen beide intakten Lampen mit. Als Shelley noch einmal zurückkehrte, machte mein Herz einen Satz: Sie haben eine Lösung gefunden! Sie wollen doch, dass ich mitkomme!

Aber Shelley hängte mir nur meine Lampe um. »Mein Scheinwerfer ist unzuverlässig«, sagte er. »Jetzt kannst du Licht machen, falls er ausgeht. Sei sparsam, Martina. Es kann dauern, auch wenn wir uns beeilen.« Er versicherte mir, dass sie es mit Bonnis Lampe schaffen würden, sie hätte ja neue Batterien. Ich solle mir keine Gedanken machen.

Dann hockte er sich zu mir nieder. »Martina...« Er nahm mein Gesicht in beide Hände. »Wir kommen zurück. Okay?« Seine grauen Augen sahen mich an, seine Lippen öffneten sich weich. Wir küssten uns, und es war mir egal, dass Bonni zusah. Shelley und ich schauten uns an. Eine Brücke spannte sich von seinen Augen zu meinen Augen. Ich legte drei Finger auf seinen Mund. Er nickte mir zu und drehte sich um.

Seitdem ist eine unmessbare Zeit vergangen. Ich hätte Shelley um seine Uhr bitten sollen. Aber ich habe nicht daran gedacht. Und Bonni denkt sowieso nur an seinen Klumpfuß.

Jetzt murmelt er etwas.

»Was sagst du?«

»Mädchen haben's gut«, wiederholt er.

»Das ist mir neu, erkläre mal.«

»Du bist fein raus«, murrt er. »Wenn du Schiss hast, ist das okay. Weil du ein Mädchen bist. Als Junge muss man wie Ecke sein. Das ist doch ungerecht!«

»Shelley hat auch Angst«, vertraue ich ihm an.

»Nein!« Er beäugt mich misstrauisch. »Glaube ich nicht.«

»Ehrlich. Shelley hat's mir selber gesagt.« Es ist so schön, Shelleys Namen auszusprechen ...

Bonni lehnt den Kopf mit geschlossenen Augen an die Wand. Wenn er jetzt weiterdenkt, müsste er eigentlich sein Verhalten mit Shelleys Verhalten vergleichen. Angst hin oder her.

»Aber Shelley hat sich nicht den Knöchel gebrochen! Und muss nicht hilflos hier rumhocken!«

»Ja, Bonni.« Das hat ja geklappt.

»Und überhaupt ist er schon achtzehn!«

»Stimmt, Bonni.« Ich beobachte, wie er die Zähne zusammenbeißt und sein Bein hält.

»Lässt der Schmerz nicht nach?«

Er schüttelt den Kopf.

»Ich könnte dir den Fuß in nassen Lehm packen«, schlage ich vor. Das weiß ich von meiner Mutter. Sportverletzungen soll man sofort kühlen, es mindert die Schwellung.

Bonni zieht entsetzt die Luft ein. Keiner durfte bisher den Fuß berühren. Außer Ecke, der ihm Schuh und Socke ausgezogen hat, während Shelley und ich auf der anderen Seite des Wasserlochs voller Angst lauschten.

Inzwischen ist der Knöchel aber bereits so unförmig, dass eine Lehmpackung wahrscheinlich gar nichts mehr nützt.

Um nicht vor Kälte zu erstarren, gehe ich in die Hocke und bewege Arme und Beine. Viel Raum habe ich nicht und Bonni macht sich Sorgen um die Lampe. »Wenn du sie streifst, geht sie aus!« Seine Zähne schlagen beim Sprechen aufeinander.

Als müsste man ausgerechnet mich ermahnen, auf das Licht aufzupassen! »Du könntest vielleicht wenigstens mit den Armen rudern«, schlage ich sanft vor.

Er tut es für kurze Zeit und mit schmerzverzerrtem Gesicht.

Vor vierundzwanzig Stunden, denke ich unwillkürlich, war er der Überlegene und ich habe gezittert. Wie doch die Dinge sich ändern können. Wenn ich alle Beobachtungen addiere, komme ich zu dem Schluss, dass seine Überlegenheit von Anfang an gespielt war. Schon das Werfen mit Lehmklumpen, als ich ihn noch für ein Mädchen hielt, kam vielleicht nur von der Erleichterung, dem Loch entronnen zu sein. Aber was trieb ihn bloß dazu, am nächsten Tag wieder hineinzukriechen?

»Bonni, warum hast du bei der Höhlenkriecherei mitgemacht?«

Er zuckt die Achseln. »Wegen Ecke und Shelley. – Aber das verstehst du vielleicht nicht ...«

»Oh doch«, sage ich. »Ich wollte auch dazugehören.«

Wir schweigen minutenlang.

»Und Ecke?«, frage ich. »Warum macht er es?«

»Er braucht den Kick«, stößt Bonni hervor. »Je gefährlicher, desto besser!« Wütend schlägt er die Stirn auf das Knie des unverletzten Beines.

Ich nicke stumm. »Und ... Shelley? Braucht Shelley auch den Kick?«

»Weiß ich doch nicht! Kann schon sein. Oder ... ich glaube nicht. Er ist einfach ein komischer Vogel. Nicht ganz normal.«

»Spinnst du, Bonni? Wieso soll er nicht normal sein?«

»Weil er ... Ich meine, er macht eben nicht das, was andere mit achtzehn machen!«

»Oh, du willst sagen, er ist ein Individualist!« Da bin ich aber erleichtert.

»Logisch. Ein Spinner. Mann, wenn ich mal ein Auto hab!«

Bonni blüht auf. Ich höre ihm aber nicht mehr zu, ich bin bei Shelley. Es wird ihm doch hoffentlich nichts passiert sein! Eine Menge Zeit ist vergangen, ich weiß nicht, wie viele Stunden. Mir ist schwach vor Hunger und ich fühle mich krank vor Kälte und Angst. Wo bleiben sie so lang? Haben sie den Ausgang nicht gefunden? Haben sie sich verlaufen? Ist ihnen die Lampe ausgegangen und hocken sie irgendwo im Dunkeln?

Bonni erzählt plötzlich zusammenhanglos eine Geschichte, die mich aufhorchen lässt: In Frankreich hat man eine Höhle entdeckt und Forscher sind hineingestiegen und nicht mehr zurückgekehrt; die Rettungsmannschaft kam auch nicht wieder …

Bonni heult jetzt. »Wenn Ecke und Shelley in ein Gasloch geraten sind …«, schluchzt er.

»In ein was?«

In einer Höhle können auch giftige Gase sein, kriege ich aus ihm heraus. Und dass die Forscher in der französischen Höhle tot dalagen. Und die Retter auch.

Mein Kopf schaltet ein Video ein: Ich sehe Shelley und Ecke leblos auf dem Boden eines Schachts liegen, ich drücke die Augen zu vor Schmerz, da wechselt das Bild: Shelley und Ecke in einem Kriechgang, der vor einer Wand endet und so eng ist, dass sie sich nicht umdrehen können; danach sehe ich sie vor einer Rutsche, die in ein Wasserloch führt … Ich sehe sie nie draußen bei Menschen, die helfen können, der Film erlaubt nicht, dass sie den Ausgang finden, es ist ein Horrorfilm. Er arbeitet in mir wie ein Hackmesser, er zerfetzt mich. Gleich fange ich zu schreien an …

Ich muss etwas tun.

Ich muss wirklich etwas tun, ich darf nicht mehr warten, es ist schon viel zu viel Zeit vergangen. Ich muss den Panikschlupf finden und Hilfe holen. Es ist etwas, das ich niemals schaffen kann. Aber ich muss es wenigstens versuchen. Bonni braucht einen Arzt und Shelley und Ecke stecken vielleicht irgendwo fest. Ich klammere mich an den Gedanken, dass ihnen das Licht ausgegangen ist. Damit ich nichts Schlimmeres denken muss.

Und nun muss ich Bonni schonend beibringen, dass er in Kürze allein sein wird. Ich lobe Shelleys guten Scheinwerfer, der, wenn er einmal brennt, ewig brennt, ich erzähle die wunderbare Story von einer Rettungstrage und warmen Decken, und ich gehe an die letzte Notreserve, meine zweite Tafel Schokolade. Sie ist fürchterlich mitgenommen, aber sie wird, hoffe ich, das Wunder vollbringen und Bonni beruhigen. Und mich auch. Denn jetzt kriege ich von der Unabwendbarkeit meines Vorhabens das große Zittern. Ich muss mich bewegen, um es zu überspielen und um Bonni zu täuschen und ihn glauben zu machen, dass ich in null Komma nichts zurück bin und Hilfe bringe.

Ein Drittel der Schokolade ist für mich. Obwohl ich jetzt gar keinen Hunger mehr spüre. Ich schlage Bonni vor, seine Ration einzuteilen und Stück für Stück auf der Zunge zergehen zu lassen, für jeden Wegabschnitt, den ich zurücklegen muss, ein Stückchen. »Wenn du sparsam bist«, sage ich, »hast du noch etwas, wenn ich schon draußen bin.«

Ich wollte, ich könnte auch daran glauben.

Aber etwas Seltsames geschieht: Bonni grinst! Ziemlich schief und zittrig, aber er grinst! Falls er nicht schon im Delirium ist, vertraut er darauf, dass ich geeignet bin, ihn zu retten!

Ganz langsam wächst etwas in mir, das sanfter und wohlschmeckender ist als die Schokolade auf meiner Zunge.

»Ich muss los, Bonni«, flüstere ich rau.

Dort wo ich gesessen habe, reihe ich für ihn die Schokoladenstückchen auf. Das Papier nehme ich mit, vielleicht kann ich damit meinen Weg markieren. Hätten die Jungen in ihrer Überheblichkeit daran gedacht, dann wären wir jetzt nicht in dieser Situation.

»Was machst du da?«, sagt Bonni. »Hältst du mich für ein Baby?« Er richtet sich auf, den kaputten Fuß weit von sich gestreckt. »Nimm das sofort mit!«

Er spielt sich auf, denke ich. Aber da greift Bonni zu und schleudert das erste Stückchen Schokolade in die Lehmpampe. Seine Augen haben einen irren Glanz. Schon packt er das nächste Stück.

»Halt!«, protestiere ich.

Wir essen die Schokolade gemeinsam auf. Bonni beginnt auf der einen Seite, ich auf der anderen. Um das letzte Stückchen raufen wir uns.

Dann sagt Bonni, ich soll meinen lahmen Arsch in Bewegung bringen, und ich ermahne ihn, dasselbe zu tun und sich warm zu halten.

Er antwortet, indem er wild gegen einen Schatten boxt. Das ist das Letzte, was ich von ihm sehe. Und seinen abgespreizten Fuß ohne Schuh und Socke. Und die Verzweiflung in seinen Augen.

11

Der Kamin ist nicht zu schwierig, es gibt genügend
Unebenheiten. Ich setze die Füße so vorsichtig wie
jemand, der frei in einer Wand klettert. Einen Fehler
kann ich mir bei aller Eile nicht leisten. Dann leuchte
ich durchs Schlitzauge das dunkle Wasser an, auf dem
Bonnis Helm wie eine große Nussschale schwimmt.
Wenn ich hinunterfalle …

Ich warte, bis mein rasendes Herz einen Gang zu-
rückgeschaltet hat und die Beine wieder halbwegs
funktionieren. Das Schwerste ist, den Rücken an die
eine Tunnelwand zu kriegen und die Füße an die andere, ohne vorher abzustürzen. Ich war angeseilt, und
Ecke hat mich gezogen, als ich zuletzt hier war, und ich
habe nicht im Traum daran gedacht, das verdammte
Schlitzauge ein zweites Mal zu passieren.

Gut, jetzt bin ich *nicht* angeseilt. Im schlimmsten Fall
muss ich schwimmen. Nachdem ich abgetaucht bin wie
ein Stein … Nicht daran denken. An Shelley denken.
Wenn der mich jetzt sehen könnte!

»Bonni, hier schwimmt ein Helm!«, rufe ich. »Wer hat
denn den verloren?«

Dann schiebe ich mich durch das Loch. Konzentrie-
ren. Einstemmen. Auf die Lampe aufpassen. Nicht abrutschen. Alle Kraft gegen die engen Wände, nicht

hinunterschauen, du schaffst das, Bonni glaubt an dich, Shelley wäre stolz auf dich, du schaffst das, du hast mehr Kraft, als du denkst ... Wenn du das geschafft hast, schaffst du auch alles andere ...

Ich klemme zwischen den Felswänden, als hätte mich einer hier eingepasst. Ich presse Rücken, Arme und Füße an. Die Lampe vor meinem Bauch wirft ein zitterndes Licht. Ich fange an, mich seitwärts weiterzuschieben. Der Tunnel ist nicht lang, und ich weiß jetzt, dass ich es schaffen kann.

Trotzdem brülle ich die Erfolgsmeldung erst, als ich auf meinen Beinen stehe, die ich garantiert nie mehr beleidigen werde.

Bonni antwortet mit einem Kriegsgeheul.

Es verklingt, und nach einer Weile glaube ich zu hören: »Martina, bist du noch da?«

»Ja. Brüll nicht, dann kann ich dich besser verstehen.« Ich hocke im Dunkeln – im Dunkeln! – auf einem Stein und überlege. Ich lasse, so gut es geht, in meinem Kopf die Kriechgänge und ihre Schwierigkeiten zu Bildern werden, die ich in umgekehrter Reihenfolge aneinandersetze. Dabei kommt ein unüberschaubares Labyrinth heraus. Aber an seinem Ende steht der Panikschlupf, und wer das Schlitzauge und den Tunnel geschafft hat, sollte ihn finden können.

Wenn das Licht nicht ausgeht.

Das ist der Grund, warum ich im Dunkeln hocke und angestrengt nachdenke und rechne. In meiner Lampe sind Eckes Batterien. Die hatten gestern schon einige Stunden Höhlendienst und heute wieder, ehe die

Lampe auf Shelleys Helm schlug. Und danach habe ich sie einige Zeit in meiner Lampe benützt. Wie viel Energie ist noch drin? Ich weiß ja nicht einmal, wie lang solche Batterien überhaupt Strom geben!

Wenn ich davon ausgehe, dass Shelley und Ecke jetzt ohne Licht dasitzen – und davon *will* ich ausgehen, um nichts Schlimmeres denken zu müssen –, dann kann es bei mir auch nicht mehr lange dauern. Vielleicht wenn Ecke die Batterien heute Morgen frisch eingelegt hat, was ich nicht weiß …

Ich komme nicht darum herum. Ich muss es tun. Ich muss es wenigstens versuchen. Im Wasserloch liegen Bonnis Batterien, paarweise in Plastik eingeschweißt, soviel ich gesehen habe. *Ich muss sie holen.* Wenn die Folie dicht geblieben ist, müssen sie noch funktionieren.

Ich stehe am Rand des Loches und betrachte abwechselnd meine Füße und das Wasser. Wenn ich wenigstens wüsste, wie tief es ist. Dass ich hier stehe und Licht vergeude, macht mich bis zum Schreien nervös. Hinein!, befehle ich mir. Aber meine Füße sind wie festgewachsen. Vielleicht kann man nicht öfter als zweimal über seinen Schatten springen.

Und was war das gerade eben, versuche ich mich zu ermutigen, bist du nicht aus dem Schlitzauge in den glatten Tunnel geklettert? War das vielleicht nichts? War das nicht das Schlimmste überhaupt? Kann man sich danach noch vor einem Wasserloch fürchten?

Man kann.

Ich musste in die No-Name-Höhle kriechen, um ein

paar Dinge zu begreifen. Zum Beispiel dass es nichts nützt, schon einmal über seinen Schatten gesprungen zu sein. Man muss es immer wieder von Neuem tun.

»Ich hole deine Scheißbatterien aus dem Wasser!«, rufe ich Bonni zu.

So. Nun hab ich es gesagt, nun muss ich es tun.

Kann sein, dass das Wasser mir über den Kopf geht. Kann sein, dass ich tauchen muss, was ich nicht kann. Oder dass ich die Batterien im Lehmschlick nicht finde. Alles ist möglich. Und das Wahrscheinlichste ist, dass ich die Aktion völlig umsonst mache. Nur um hinterher klatschnass und tonnenschwer zu sein.

Aber gegen dies Letzte kann ich etwas tun.

Froh, überhaupt etwas tun zu können, lege ich los und mache so schnell, wie es mir nur möglich ist. Zuerst die verkrusteten Schnüre um Hosenbeine und Ärmel. Dann die Schnürsenkel, die unter einer Lehmschicht liegen. Dann der Reißverschluss des Overalls – aber nur so weit, wie unbedingt nötig, denn nachher werde ich niemanden haben, der ihn mir wieder hochziehen hilft. Raus aus den Schuhen und dem Overall und dann aus den restlichen Klamotten. Die Lampe ragt schräg aus meinem abgelegten Helm. In ihrem Licht lege ich Jeans und Pulli, Socken und Unterwäsche auf den lehmdurchtränkten Overall. Dann habe ich nichts mehr an. Die Haare liegen mir schwer und feucht auf dem Rücken. Ich zittere vor Kälte. Wenn ich sehr schnell bin, finde ich nachher vielleicht noch einen Rest Körperwärme in meinen Klamotten. Dieser Gedanke treibt mich ins Wasser. Ich wate hinein und es geht stetig abwärts. Es ist so kalt, dass ich es fast nicht aushalte. Ich versuche, alle Empfindungen abzuschalten. Und den unsäglichen Schlick um meine nackten Füße nicht zu registrieren. Und ihn doch wahrzunehmen, je näher ich der hinteren Wand komme, denn dort sollten die Batterienpäckchen liegen. Und schnell, schnell, ehe meine Beine erstarren. Das Wasser geht mir bis zur Brust. Ich packe den schwimmenden Helm, um ihn in den Gang hinauszuschleudern, aber ich bin zu schlapp, ein Stück hinter mir tanzt er weiter. Ich konzentriere mich auf den Schlick, in dem ich mit den Zehen herumsuche. Glitschige Steine sind unter meinen Sohlen und ich unterscheide bald nichts mehr. Panisch wate ich umher, mit klappernden Zähnen und tastenden Füßen. Kleine Bewegungen, sagt mein Verstand, und alle Aufmerksamkeit auf den Tastsinn ... Wo sind die Scheißdinger ... Habe ich nicht immer gewusst, dass es umsonst ist?

Und dann passiert das Wunder und ich spüre etwas anderes als nur glitschige Steine: zwei eckige Päckchen mit scharfen Kanten – die Batterien! Sie liegen auch noch nahe beieinander – falls sie es wirklich sind – und ich stelle mich mit beiden Fußsohlen darauf.

Aber ich kann sie nicht nach oben befördern. Mit den Füßen bestimmt nicht. Mit den Händen auch nicht – selbst wenn ich das Kinn ins Wasser tauche, reiche ich nur bis zu den Knien. Ich drücke mit einem verzweifelten Ruck Mund und Augen zu und tauche vollständig ein. Gegen den Widerstand des Wassers suche ich mit einer Hand unter meinen Füßen herum.

Päckchen Nummer eins! Ich komme hoch und schnappe nach Luft. Beim zweiten Mal gerät mir noch etwas zwischen die Finger, etwas Fremdes. Ich umklammere die Batterien – sie sind es! Mit dem Schrei »Bonni, ich hab sie!« wate ich hinaus.

Was zwischen dem zweiten Päckchen und meinen Fingern klemmt, ist eine Herrenuhr mit Metallband.

Ich lasse alles in den Helm fallen und winde meine Haare aus. Dann streife ich mir das Wasser vom Körper und hocke mich zum Pinkeln nieder. Ich zittere so fürchterlich, dass ich mich an einem Stein festhalten muss. Mit klappernden Zähnen antworte ich auf Bonnis Gebrüll: »Wenn sie noch funktionieren, hab ich jetzt jede Menge Licht!«

Nach dem Anziehen prüfe ich zuerst die Folie der Batterienpäckchen. Sie ist dicht geblieben. Dann schaue ich mir die Uhr an; es ist eine Digitaluhr mit erloschener Anzeige. Ich drehe sie um. *Für Jochen von rate mal* ist in die Rückseite eingraviert.

Rate mal ist bestimmt seine Freundin …

Der Fund baut mich ungeheuer auf; ein Jochen war vor uns hier, ist ins Schlitzauge geschlüpft und hat dabei seine Uhr eingebüßt und nirgendwo liegt sein Skelett herum!

Wenn jetzt auch noch mit den Batterien alles klappt …

Ich packe sie mit Herzklopfen aus und reihe sie so nebeneinander auf, dass ich sie im Dunkeln in die Stablampe einbauen kann. Bloß keinen Fehler machen, mit den zittrigen, klammen Fingern nichts fallen lassen, denn nun wird es mit einem Schlag finster, als ich, am Boden sitzend, die intakte Lampe aufschraube und die Batterien herausnehme; ich merke mir, wo ich sie ablege, dann baue ich mit höchster Konzentration Bonnis Batterien in die Lampe ein.

Die größte Angst befällt mich beim Zuschrauben des Deckels – wenn das alles jetzt Murks war und ich kein Licht mehr habe …

Die Lampe leuchtet auf.

Meine Muskeln geben nach und ich sinke für einen Moment in mich zusammen, so groß war die Anspannung. Aber dann kommt schon die Freude, sie strömt mir warm durch den ganzen Körper, ich könnte jubeln und springen – und das in einem nassen Gang mitten in der Erde, völlig allein, hungrig, ausgefroren und verantwortlich für mindestens einen Verletzten …

Ernüchtert sammle ich die gebrauchten Batterien auf, sie sind nun meine Ersatzbatterien; ich verstaue sie in den Brusttaschen, dann stülpe ich mir den Helm über den nassen Kopf und teile Bonni mit, dass ich mich nun mit genügend Licht endgültig davonmachen werde.

»Du könntest schon längst zurück sein!« oder so ähnlich ist seine Antwort.

Ich möchte nicht mit ihm tauschen. Jetzt will ich nur noch schnell sein. Es hinter mich bringen, den Ausgang finden, Hilfe holen. Ich muss höllisch aufpassen, vor allem auf die Lampe. Alles ausleuchten, nichts übersehen, nicht stürzen, Zeichen wiedererkennen.

Jedes Mal wenn sich der Gang zur Höhle erweitert,

klebe ich ein Stückchen Silberpapier an die Öffnung, aus der ich gekommen bin. Danach erst suche ich die Höhle nach weiteren Öffnungen ab. Denn das habe ich heute gelernt: Wenn man nur zwei andere Löcher gesehen hat, weiß man schon nicht mehr, aus welchem man nun eigentlich gekrochen ist.

Manche Gänge enden als Sackgasse oder führen mich nach unbegreiflichen Windungen an den Ausgangspunkt zurück; das sind Momente, in denen Panik aufkommen will, mir bricht der Schweiß aus und ich werde fahrig und muss mich zwingen, stehen zu bleiben, durchzuatmen und, wenn der Gang hoch genug ist, mich auch zu strecken.

Wenn ich beide Hände brauche, nehme ich die lehmverschmierte Taschenlampe zwischen die Zähne; ich sabbere sie mit Spucke voll und beiße auf Dreck, den ich hinterher ausspucke. Nach drei Abzweigungen, die ich zum Glück markiert habe, stecke ich in einer Sackgasse fest und kann nur umkehren. Ich sammle das verdreckte Silberpapier ein, weil ich es wieder brauchen werde. Ich schwitze. Ich probiere einen anderen Weg aus; es muss im Prinzip eher nach oben als nach unten gehen, denn wir sind den ganzen Tag über meistens abwärtsgekrochen.

Dann erkenne ich in einem ziemlich glatten Gang nach oben Eckes Jubelrutsche und stoße einen Freudenschrei aus. Wenn mir jetzt auch noch jemand ein Seil herunterlassen würde … Aber man kann nicht alles haben.

Für den Aufstieg muss ich den Riemen meiner Lampe verkürzen und die Lampe im Overall festklemmen. Mit Händen und Füßen in die Wand eingestemmt, habe ich keine Möglichkeit, den Winkel zu verändern. So trifft das Licht nicht überallhin und ich muss blind nach Haltepunkten tasten. Shelley kam auf der Rutsche – falls sie das wirklich ist – aus eigener Kraft hoch, also muss es genügend Unebenheiten geben.

Ich keuche. Es ist der längste Aufwärtsgang, den ich bisher hatte. Es *muss* die Rutsche sein. Mein Kopf brennt vor Hitze. Ich merke nichts mehr davon, dass es hier unten kalt sein soll. Meine Fingerkuppen schmerzen, sie sind wahrscheinlich schon aufgerissen. Der Tetanuserreger fällt mir wieder ein, aber darüber kann ich jetzt nur noch lachen: Es wäre ja Hohn, wenn ich das alles geschafft hätte, um dann an Wundstarrkrampf einzugehen!

Dann bin ich endlich oben. Es ist der Platz, von dem aus Shelley und ich zugesehen haben, wie Bonni und Ecke nach unten verschwanden, ich erkenne ihn absolut sicher wieder. Hier war es, wo ich zum ersten Mal das Alleinsein mit Shelley ausdehnen wollte.

Ich leiste mir eine Verschnaufpause und betrachte meine Fingerkuppen, kann aber wegen der Lehmschmiere nichts weiter erkennen. Sowieso bekomme ich langsam ein anderes Problem: Ich muss ständig blinzeln, die Kontaktlinsen sind zu Fremdkörpern geworden, ich bin nicht daran gewöhnt, sie so lange zu tragen.

Mit einem heißen Schreck fällt mir ein, dass sich heute in vielen Stunden und bei vielen Gelegenheiten eine Linse hätte verschieben können – was hätte ich dann gemacht? Ich wäre reif gewesen für den Sanitäter wie Bonni! Denn eine Linse oben im Augapfel schmerzt so unerträglich, dass beide Augen tränen und zu nichts mehr zu gebrauchen sind. Ich wäre praktisch blind!

Was hab ich für ein Glück gehabt.

Es ist Zeit für ein Stoßgebet. Sonst bin ich nie fromm, aber jetzt kommt es mir plötzlich vor, als würde mich jemand freundlich beobachten. Falls es einen Gott gibt, will er vielleicht nicht, dass es mir ergeht wie meinem Vater. Er könnte mir ja einen kleinen Lichtpfeil schicken, der mir die Richtung zeigt …

Da Lichtpfeile unter seiner Würde sind, bleibt mir nichts anderes übrig, als meinen Verstand und die Lampe zu benützen. Ich finde die schräge Wand mit den wellenförmigen Ablagerungen wieder, die Ecke bäuchlings heruntergerutscht kam, wobei seine Lampe zerschellte. Ich entdecke auch den Spalt, durch den er hochgeklettert war, der mir also nichts nützt. Nach sorgfältigem Ausleuchten gibt es nur einen weiteren Schlupf in dieser Höhle. Aus ihm müssen wir gekommen sein. Ich mache mich auf den Weg.

Endlose Gänge mit Verzweigungen. Vom Silberpapier ist nichts mehr übrig. Aber ich habe noch das äußere Verpackungspapier. Und zur Not Shelleys schmutziges Taschentuch. Ich hoffe, dass ich das Taschentuch nicht verwenden muss, ich will es behalten.

Der Gang ist so fremd, dass ich mir nicht vorstellen kann, hier schon einmal gewesen zu sein. Alles in mir zieht sich wieder einmal vor Angst zusammen – bis ich eine Engstelle auf dem Rücken passieren muss und die seltsamen kurzen Tropfsteine erkenne, die aus der niedrigen Decke nach unten wachsen wie Nägel. Wie ein Krokodilsrachen, hat Bonni gesagt, als er sich hindurchwand. *Danke für das Nagelbrett, Gott. Kann auch ein Krokodilsrachen sein.*

Ich weiß nicht, wie lange ich schon unterwegs bin, mein Zeitgefühl ist draußen geblieben. Aber noch brennt meine Lampe und mein Körper macht auch mit. Ich komme an ein Wasserloch, das mich an die Stelle erinnert, wo ich mir das Knie aufgeschlagen habe; ich wate mittendurch, jetzt kommt es auf nasse Füße nicht mehr an. Ich habe Lehmstiefel bis über die Knie und meine Füße saugen sich bei jedem Schritt fest. Auch in der geräumigen Höhle, die ich jetzt betrete. Ich sehe mich um und entdecke den erstarrten Wasserfall – dann muss dort das Fenster sein, durch das wir eingestiegen sind, oder ist es das Loch da drüben? Verunsichert laufe ich von einer Öffnung zur anderen. Mein Herzklopfen kommt eindeutig von der Aufregung, denn jetzt ist ein Ende abzusehen … Ich entscheide mich für das leichter zugängliche Loch und hänge mir die Lampe auf den Rücken, um die Hände zum Klettern frei zu haben. Das Licht hüpft und die Schatten sind in Bewegung, ich muss mir den Aufstieg mehr oder weniger ertasten. Oben setze ich mich an den Rand und schaue mir die Höhle an – wo haben Bonni und Ecke gestanden, als ich hier angekommen bin?

Ich sitze im falschen Gang.

Vorsichtig steige ich wieder ab und betrachte mit Unbehagen die andere Öffnung. Hier hat mir Bonni am Morgen geholfen und herunterzukommen war sowieso leichter; ich ertappe mich bei dem Gedanken, dass sich bereits an dieser Stelle einer den Knöchel hätte brechen können und dass uns dann eine Menge erspart geblieben wäre …

Klimmzüge waren noch nie meine Stärke. Ich könnte heulen vor Wut. So kurz vor dem Ziel! Ich schleppe Steine an, ich schwitze, schnaufe und verkeile Brocken ineinander, die ich eben noch tragen kann. Endlich habe ich einen besteigbaren Geröllhaufen geschaffen. Ich klettere ihn äußerst vorsichtig hoch. Dann bin ich mit den Ellenbogen im Loch. Ziehen und einstemmen, mit den Knien arbeiten, auf die Lampe aufpassen – ich schaffe es.

Ein Blick zurück, den Triumph gönne ich mir, danach krieche ich in den Gang. Die Lampe baumelt unter mir und wirft die sonderbarsten Schatten. Der Gang gabelt sich. Soll ich noch markieren oder lohnt es sich nicht mehr? Ich verzichte darauf, es sind ja nur zwei Möglichkeiten. Alle meine Muskeln schmerzen, sogar die Pomuskeln. War der Gang wirklich so lang? Plötzlich befällt mich der Gedanke, dass ich garantiert am letzten Stück scheitern werde, und genau da fasse ich mit der Hand in eine weiche, schmierige Masse und schreie auf, mein Helm donnert gegen die Decke, ich packe die Lampe und richte den Lichtkegel auf das Weiche.

Es ist meine Kotze vom Morgen und meine Freude darüber ist unbeschreiblich. Nun wird der Kriechgang trockener, die Luft verändert sich, mir ist, als könnte ich plötzlich wieder atmen und als hätte ich während dieses ganzen Albtraums immer nur gehechelt. Ich achte nicht mehr auf Kanten und Steine; dass meine Hände und Knie schmerzen, ist mir egal. Es geht jetzt steil nach oben und wird fürchterlich eng.

Im Lichtschein meiner Lampe taucht schließlich ein waagrechter Spalt auf und das kann nur der Panikschlupf sein.

Das *ist* der Panikschlupf!

Doch dahinter – draußen! – ist etwas Merkwürdiges los; ein unstetes rotes Licht und ein Prasseln, als stünde der Wald in Flammen. Für einen Sekundenbruchteil glaube ich, so lange in der Erde gewesen zu sein, dass inzwischen ein Krieg ausgebrochen sein könnte …

Ich erreiche mit einer Hand den Rand des Loches und fasse mit der anderen nach. Gras! Ich greife in richtiges Gras und ein Schluchzer bricht aus meinem Hals. Ich zwänge mich durch den Spalt und ziehe mich so weit heraus, dass ich erst mal sitzen kann. Die Welt hat mich wieder und vor meinen Augen brennt – ein Lagerfeuer.

Oh, ist die Welt schön! Das Feuer flackert hell in der dunklen Nacht, sein Knistern ist der schönste Laut, den ich mir denken kann. Ich ziehe die Beine aus dem Loch.

Da kommt um das Feuer herum jemand auf mich zu. Die Person wird stocksteif und lässt einen Arm voller Zweige fallen. Ich blinzle mit meinen entzündeten Augen und rapple mich auf. Dann stehe ich in voller Lebensgröße da. Die Gestalt, die jetzt einen Schrei ausstößt und über die Zweige stolpert, ist – meine Mutter.

»Mama!« Ich stürze nach vorn. Meine Mutter, das ist meine Mutter! Das Wunder ist ja noch viel wunderbarer!

»Martina?«, fragt sie. »Martina??«

Natürlich, wie soll sie mich erkennen, ich würde mich ja nicht einmal selbst erkennen.

»Das kann doch nicht wahr sein!« Sie reißt mir den Helm vom Kopf und dreht mein Gesicht zum Feuer. Sie besudelt sich von oben bis unten mit Lehm, als sie die Arme um mich wirft. Sie drückt mich wieder weg, schüttelt mich, schreit und schluchzt und prügelt plötzlich auf mich ein. »Du Idiotin! Du Wahnsinnige! Was hast du dir dabei gedacht!«

Ich kann mich nicht wehren. Vielleicht habe ich die Prügel wirklich verdient. Sonst würde ich doch wenigstens ausweichen.

Urplötzlich hört sie damit auf. Sie sieht sehr komisch aus, mit all dem Dreck an ihren Händen und in ihrem Gesicht und an der Jacke und an der Hose. Und mit dem verstrubbelten, beschmierten Rotschopf.

Ein Lachen drückt mich im Hals. Aber als ich den Mund aufmache, kommt stattdessen ein wildes Heulen heraus, ich kann nur noch die Augen zuquetschen, damit meine Kontaktlinsen nicht davonschwimmen. Meine Mutter tastet mich währenddessen von oben bis unten ab. Auch meine Haare fasst sie an. Danach heult sie los und jetzt schluchzen wir beide. Die Nacht, die Felsen, das lodernde Feuer, meine Esche, die im Dunkeln hinter der aufsteigenden Warmluft verschwimmt, und zwei heulende Gestalten.

Da muss ich auf einmal doch lachen.

Aber meine Mutter nicht. Sie geht wie eine Furie auf mich los und fängt wieder zu prügeln an.

»Hör auf!«, schreie ich zurück. »Ich bin doch da! Ich bin noch ganz und gar heil! Und – so hast du mich doch immer haben wollen!«

»Waaas?« Sie erstarrt.

»Immer hast du gewollt, dass ich etwas riskiere!«

Meine Mutter zieht die Luft tief ein und bläst sie langsam wieder aus. Dann bückt sie sich zu den Zweigen und wirft sie aufs Feuer. »Aber doch nicht dein Leben, du Verrückte.«

»Ach …?«

Sie baut sich vor mir auf und stemmt die Hände in die Seiten. »Spinnst du, Martina? Ich glaube, ich habe schon genug Angst um Martin haben müssen!«

Ich blinzle. »Hast du *Angst* gesagt? Du doch nicht! Du nicht und mein Vater auch nicht!«

»Was weißt du denn. Jedes Mal wenn er irgendwo hochgestiegen ist, bin ich vor Angst schier wahnsinnig geworden. Er war ja so ein Blödmann … Er hat mich immer ausgelacht.«

»Aber du hast doch alles mitgemacht!«

»Hab ich nicht.« Sie schaut mich seltsam an. »Ich *hätte* es gern. Und manchmal habe ich so getan als ob.«

»Und das ganze Freeclimbing …?«

Meine Mutter setzt sich im Feuerschein auf den Boden. Sie sieht mit schiefem Blick zu mir auf. »Ich war einmal zufällig mit Freunden bei so einer Aktion. Dabei habe ich Martin kennengelernt. Dann haben wir uns verabredet. Er wollte mir die Sache beibringen. Aber ich bin nicht weit gekommen damit. Meistens habe ich nur zugesehen.« Sie senkt den Kopf und stochert im Feuer.

Minutenlang ist es still. Das muss ich erst verdauen. Ich stehe praktisch vor den Trümmern meines Mutterbildes. Die Frau da kenne ich noch gar nicht. Und jetzt muss ich sofort etwas wissen. »Mama … War Martin ein blinder Draufgänger? Du weißt schon: einer, der viel riskiert, weil er den Kick braucht?«

Ich kenne die Antwort schon, ehe meine Mutter bedächtig nickt.

So einer war er also. Einer wie Ecke. Ein blöder Hund. Er hat die sichere Piste verlassen, obwohl seine Freundin schwanger war und er sich auf sein Kind gefreut hat.

»Bis dahin hat er immer Glück gehabt«, höre ich meine Mutter wie durch einen Nebel sagen. »Mehr Glück als Verstand. Das war ein Teil seines Charmes. Ich war verrückt nach ihm. Und irgendwie habe ich mir dann später gewünscht, dass ihm sein Kind ähnlich sein soll. War total blöd von mir. Seit ein paar Stunden weiß ich das.« Ihr Flüstern erstirbt.

Ich nicke stumm.

Aber das kann sie nicht sehen. Plötzlich springt sie

auf. »Martina, wann kriechen die endlich raus?« Sie zeigt zum Spalt.

»Da kriecht niemand mehr heraus«, sage ich langsam. »Bonni ist verletzt und wo Ecke und Shelley sind, weiß ich nicht. Aber wieso bist du überhaupt hier? Und wie spät ist es? Woher hast du gewusst …« Jetzt kommen mir alle Fragen zugleich.

Meine Mutter schaut auf die Uhr. »Es ist gleich sechs.«

Da sehe ich, dass der Himmel über den Felsen heller ist als auf der anderen Seite der großen Lichtung. Und ich merke, wie ich friere. Sechs Uhr. Montagmorgen? Wenn es jetzt Montagmorgen ist, dann ist mein Zeitsinn wieder gerade gerückt. »Haben wir Montagmorgen?«, frage ich.

»Was sonst? Die Feuerwehr von dem Kaff da unten hat stundenlang nach euch gesucht. Und jetzt wartet man auf die Höhlenrettung oder wie das heißt.«

»Man hat nach uns gesucht? Ich bin keinem begegnet!« Ich schaue unwillkürlich zum Spalt zurück.

»Die Feuerwehrmänner sind zum Haupteingang rein. Zuerst haben sie's hier probiert. Aber sie passten nicht durch den Schlitz«, informiert mich meine Mutter. »Ich hab's dem Typ, diesem Alexander Sowieso, erst mal auch nicht glauben wollen. Aber er hat geschworen, dass ihr da reingekrochen seid. Das ist seine Ausrüstung, oder?« Sie stupst mich in den Bauch.

Ich nicke.

»Verrücktes Huhn.« Sie schüttelt den Kopf. Dann macht sie sich daran, das restliche Feuer mit einem

Tannenwedel zu löschen. Schnaufend und auf den Boden dreschend, redet sie weiter. »Ich habe die Feuerwehrleute völlig verdreckt aus dem Hauptloch kommen sehen. Sie sagten, da war eine Stelle, wo es weitergegangen wäre, aber nur einer von ihnen, der dünnste, passte hindurch. Sie forderten diesen Alexander auf, den dünnen Feuerwehrmann zu begleiten. Aber er war nicht zu bewegen. Ihn kriegt nichts mehr in so eine Scheißhöhle, hat er gesagt und dass man doch sowieso schon nach den Fachleuten telefoniert habe. Da meldete sich ein anderer, der reinwollte, Carsten Siebert, der Jugendleiter. Er fühlt sich für dein Verschwinden verantwortlich. Er hat den Bus voller Kinder allein nach Hause geschickt und mich angerufen und diesen Alexander ausgequetscht und was weiß ich noch alles. Und dann wollte er in die Höhle. Wenn er's nicht gemacht hätte, wäre ich mit dem Feuerwehrmann reingegangen. So aber konnte ich mich absetzen.«

»Du bist hierhergekommen und hast ein Feuer gemacht und hast gewartet ... Wie hast du wissen können ...?«

»Mutterinstinkt«, lacht sie. Dann packt sie meinen Arm. »Komm jetzt. Wenn hier niemand auftaucht, müssen wir auch nicht warten. Du brauchst eine heiße Dusche und etwas Warmes in den Bauch. Wann hast du zuletzt gegessen?«

Sie ist wieder normal. Sie ist, wie ich sie kenne. Aber ich weiß jetzt, dass noch eine andere in ihr steckt. Mein Vaterbild stimmt auch nicht mehr; wenn er ein Typ wie Ecke war, kann ich meine Bewunderung zurückfahren.

Und sogar ich selbst bin anders, als ich mich bisher kannte.

Ich glaube, ich muss dieser Horrortour dankbar sein. Aber sie ist für die anderen ja noch nicht zu Ende. Mit einem heißen Stich fällt mir Shelley ein.

Ich muss sofort zum Haupteingang.

12

Der Morgen dämmert, als wir den Bauernhof erreichen, neben dessen Stall der Einstieg in den Berg sein soll und wo meine Mutter ihr Auto geparkt hat. Seit vierundzwanzig Stunden bin ich nun auf den Beinen, mit Ausnahme der Zeit, die ich neben Bonni an der kalten Felswand gesessen habe.

Meine Mutter regt sich furchtbar auf, weil ich nicht zur Herberge will, weil ich kein heißes Bad brauche und mir auch nicht die Zeit fürs Essen nehmen will. Sie hört erst zu lamentieren auf, als wir uns den Leuten nähern, die mit dem Rücken zu uns vor dem Höhleneingang stehen. Eine Frau dreht sich um und sieht mich. Sie stößt einen Schrei aus. Da drehen sich alle um.

Ich bin nicht in der Stimmung, bewundert zu werden. Alles, was mich interessiert, steckt anscheinend noch in dem Loch. Ich erfahre, dass Carsten Siebert und der Feuerwehrmann drinnen herumsuchen und dass die Höhlenrettung nicht vor Mittag eintreffen wird; einer der Experten ist krank, ein anderer im Ausland und die drei verfügbaren reisen gerade an.

Ich wasche mir Gesicht und Hände an einem Wasserhahn im Hof. Die Bäuerin schenkt heißen Kaffee aus, dazu gibt es Brote, das erste kriege ich. Meine

Mutter setzt sich mit grimmigem Gesicht in ihr Auto und fährt zur Herberge, um meine Reisetasche zu holen. Ich benötige nämlich ganz dringend mein Kontaktlinsenetui. Als sie damit zurück ist, kann ich die Dinger endlich herausnehmen und meine schmerzenden Augen reiben.

Ich bin gerade dabei, meine Brille aufzusetzen, als es in der Höhle laut wird. Schmutzig, wie ich bin, dränge ich nach vorn, und die Leute machen mir freiwillig Platz. Vier Mann kommen heraus. Zwei von ihnen tragen Feuerwehrhelme, einer hat nichts auf dem Kopf und der vierte blinzelt unter seinem Bauhelm hervor. Auf den stürze ich zu.

»Shelley!«

Ich hänge an seinem Hals. Er schlingt die Arme um mich und drückt mich an sich. »Martina ...! O Gott, du bist draußen ... Wie bist du rausgekommen?«

Ich reibe stumm mein Gesicht an ihm; was für ein unglaublicher Moment ... Bis ich merke, dass er klatschnass ist. »Shelley – bist du geschwommen?«

Er nuschelt: »Ohne Licht kannst du nicht klettern, da musst du durch.«

»Euch ist die Lampe ausgegangen! Ich hab's gewusst!«

»Ja. Kurz vor einem Wasserloch.« Er schiebt mich ein wenig von sich und grinst dünn. »Wir sind in das Labyrinth geraten.«

»Aber wie konntet ihr ins Wasser gehen!«

»Ja, das war idiotisch«, sagt er. »Es hat auch nichts genützt, wir kamen ja im Dunkeln sowieso nicht weiter.

Aber du – sagst du mir jetzt, wie du rausgekommen bist?«

»Durch den Panikschlupf.« Was es mich gekostet hat, verraten die drei Worte nicht.

Etwas muss hinter mir sein, denn Shelley schaut plötzlich so seltsam über meine Schulter. Ich drehe mich um.

Meine Mutter kommt mit ausgestrecktem Zeigefinger auf uns zu. »Wer ist das?«, ruft sie in einem Ton, der mich veranlasst, mich schützend vor Shelley zu stellen. »Sag nicht, dass du etwas mit einem Verrückten anfängst!«, zischt sie.

Ich starre sie an. Dann begreife ich, was los ist. Ich lächle.

»Nein, Mama. Der Verrückte steht da drüben.« Ich zeige ihr Ecke, der auf den Bauern einredet.

Es ist ein neuer Ecke, sein Gesicht ist von Angst verzerrt, seine Stimme drängt. »Mein Bruder ist noch in der Höhle! Verletzt! Ich brauche trockene Sachen und Lampen und einen Doktor … Etwas zu essen …«

Natürlich. Bonni ist ja nicht bei ihnen. Mein Lächeln verfliegt. Ich will nach Shelleys Arm greifen, aber jemand schiebt sich zwischen uns, und es ist Carsten Siebert. Er hat den Feuerwehrhelm abgenommen, und an seiner Miene sehe ich, dass die nächsten Minuten unangenehm werden. Und so ist es auch. Während seine Vorwürfe auf mich herabprasseln, werden Ecke und Shelley in alte Wolldecken gepackt und weggeführt. Ich trete ungeduldig auf der Stelle und schaue Carsten an und nicke und gebe alles zu, nur damit er endlich aufhört; denn Bonni sitzt allein und verletzt mitten im Berg; was spielt es da für eine Rolle, welche Ängste ein Jugendleiter ausgestanden hat – ich könnte ihm auch etwas erzählen!

Seine Vorwürfe sind nämlich gar nichts im Vergleich zu denen, die ich mir plötzlich selber mache; mir ist schlagartig klar geworden, dass ich Bonni im Stich gelassen habe. Ich bin geflohen, als ich bei ihm hätte bleiben sollen. Man hat mich hier doch gar nicht gebraucht, die Suchaktion lief auch ohne mich – dank Carsten Siebert. Ich habe es nicht wissen können, wirklich, ich konnte es nicht wissen, aber ich fühle mich furchtbar.

Carsten muss es merken, denn er hält endlich den Mund.

»Warum holt denn keiner Bonni heraus?«, flüstere ich heiser.

»Dazu braucht es Fachleute«, sagt er steif.

Meine Mutter erlöst mich endlich. »Duschen, Martina!«, kommandiert sie und bringt mich weg. Sie hat eine Decke über den Beifahrersitz gelegt und will, dass ich einsteige.

Aber ich bleibe am Auto stehen. Ich suche nach den richtigen Worten. Es ist nicht einfach, ihr zu erklären, was ich jetzt tun muss.

Sie glotzt mich an, als wäre ich geistesgestört.

Als sie es begriffen hat, schreit sie mich an und will mich eigenhändig ausziehen, vor allen Leuten, wenn es sein muss, aber nie, niemals wird sie mir erlauben, in das Dreckloch zurückzukriechen. Sie hat angeblich eine

Nacht lang alle Schrecken ihres Lebens noch einmal durchlitten, sie sei eine alte Frau geworden, behauptet sie, und das ist lächerlich, denn sie wirkt in ihrem Zorn jünger als ich. Ihre Sommersprossen glühen.

»Mama«, sage ich, »du kannst brüllen, so viel du willst, ich muss zu Bonni. Ich hab's dir erklärt, ich bin verantwortlich, und wenn *du* so lange allein da unten sitzen müsstest, würdest du auch durchdrehen, ich darf ihn nicht mehr länger warten lassen, er stirbt noch vor Angst. Du könntest aber mitkommen … Mama? Bitte komm mit! Sonst muss ich Carsten Siebert tragen und das tu ich nicht gern.«

Meine Mutter klappt den Mund auf und zu, sie sucht nach einem Argument und findet keines, und während ich noch warte, sehe ich zwei Vogelscheuchen aus dem Haus kommen. Bei näherem Hinsehen sind es Shelley und Ecke, sie haben Hosen und Jacken vom Bauern an, der ein Koloss ist. Zu einem Grinsen reicht es nicht, weder bei Ecke noch bei Shelley. Ihre Gesichter sind flüchtig gewaschen und schauen blass aus den Lehmrändern heraus. Auf Eckes Rücken ist eine Wolldecke festgebunden und Shelley trägt einen abgewetzten Rucksack.

»Heißer Tee für Bonni und etwas zu essen«, erklärt er und bewegt den Rucksack. Er kaut wie Ecke im Gehen an einem Brot und bleibt nicht eine Sekunde stehen – vielleicht wegen meiner Mutter, sie hat ihm bestimmt einen Schrecken eingejagt.

»Ich komme mit«, sage ich und schließe mich auch schon an.

»Wartet!«, faucht meine Mutter. Dann läuft sie zu Carsten Siebert und verlangt von ihm, dass er ihr seine lehmverschmierten Klamotten abtritt. »Aus denen musst du sowieso raus«, höre ich sie sagen.

Von der Feuerwehr bekommen wir Stablampen, Ersatzbatterien und ein Seil.

»Bringt den Jungen raus, wenn ihr könnt, und passt auf, dass euch nichts passiert«, sagt der Bauer in barschem Ton. »Hier ist schon genug los.« Er zeigt mit einer Kopfbewegung auf die Leute, und ich sehe, dass er uns alle zum Teufel wünscht.

Er und seine Frau, konnte ich dem Geflüster entnehmen, sind zwar stolz darauf, eine gefährliche, in Fachkreisen bekannte Höhle zu besitzen, aber sie wünschen sich keine Publicity. Sie benützen den Eingangsbereich der Höhle zum Lagern von Obst und Getränken und kämen gar nicht auf den Gedanken, weiter hineinzukriechen.

Die Bäuerin sagt zu ihren beiden kleinen Jungen, die auch herumstehen und gespannt unsere Vorbereitungen mitverfolgen: »Da seht ihr, was passiert! Wehe, wenn ich einen von euch einmal erwische!«

»Das wird viel nützen«, schnaubt jemand belustigt.

Eine Frau meint, an die Bauersleute gewandt: »Ihr bringt schon noch eine Tür mit Schloss an!«

Ecke lehnt den angebotenen Feuerwehrhelm unwirsch ab. »Ich geh voran«, sagt er zu uns. Seine Stimme ist tonlos, und er macht ein Gesicht, als wäre Bonni schon gestorben.

Shelley flüstert mir zu: »Er hat gerade mit seinen

Eltern telefoniert und ihnen alles gebeichtet. Die werden bald anrücken.«

»Oh …! Ja, dann …«, hauche ich.

»Warum lässt man denn die jungen Leute noch einmal da rein, die sind doch völlig erschöpft!«, ruft jemand.

Ich sehe Shelleys knappes Lächeln. Als er meinen Blick auffängt, vertieft es sich.

»Bist du völlig erschöpft, Shelley?«, flüstere ich.

»Nicht die Spur. Aber du müsstest es sein, oder?«

»Das ist ja das Komische«, sage ich, »eben nicht! Ich halte mehr aus als ein Pferd!«

»Hast du etwas gegessen und getrunken?«

»Klar«, sage ich.

Er nickt mir zu und über die Brücke zwischen unseren Augen trippelt viel Ungesagtes.

Jetzt ist endlich auch meine Mutter bereit. Sie sieht allerdings nicht wie meine Mutter aus. Zumindest würde ich sie in dem Aufzug nicht erkennen, wenn ich ihr irgendwo begegnen würde. Aber als sie sich Ecke anschließt und ich hinter ihr die Höhle betrete, weiß ich, dass sie in jeder Verkleidung meine Mutter ist.

Shelley macht das Schlusslicht. Ich höre seine Schritte und fühle ihn hinter mir.

»Fass deine Brille nicht an, Martina, sonst bist du blind«, sagt er.

»Danke für den Tipp«, gebe ich zurück. Dass ein paar nüchterne Worte einen so erwärmen können …

Dann reden wir nichts mehr. Wir haben ein Ziel und wir haben es eilig. Ich spüre, wie die Angst von mir ab-

fällt und wie mich nur noch die reine Ungeduld voran-
treibt. Bonni hält aus, muss ich immerzu denken, der
Schmerz in seinem Knöchel hat ihn nicht einschlafen
lassen, er bewegt seine Arme, wie ich's ihm gesagt habe, er hat eine furchtbare Zeit, aber er steht sie durch.
Einer, der mich hat weggehen lassen und auch noch
Sprüche hinter mir hergerufen hat, der hält durch, bis
wir kommen.